EEN GEVAARLIJK IETS

JOSH LANYON

EEN GEVAARLIJK IETS

JOSH LANYON

't Verschil

Antwerpen

2012

Oorspronkelijke titel: *A Dangerous Thing*
Vertaling: Inge Petter
Redactie: Ludwig Beukers en Johanna Pas
Cover: Robert van Heerde

e-boekeditie: www.mercbooks.nl

Uitgeverij 't Verschil, Minderbroedersrui 33, Antwerpen
Verdeling België: EPO Distributie, www.epo.be

ISBN 9789490952099
NUR 331
D/2012/11.221/20

1

Ze was jong, ze was schattig en ze was dood. Erg dood.

En dit was slecht. Erg slecht.

Wat ooit Lavinia was geweest, was nu een lompe slordige massa van lang blond haar en lange witte benen – en toen herkende Jasons ontstelde brein wat zijn ogen hadden geweigerd te zien: Lavinia's slanke armen eindigden in twee bloedige stompjes.

Ik stopte met typen, herlas wat ik geschreven had en huiverde. Arme Jason. We zaten al twee dagen vast bij de ontdekking van Lavinia's lichaam en we bakten er nog steeds niets van.

Ik drukte op de deletetoets.

Hoe slecht *Titus Andronicus*, mijn tweede Jason Leland-detective, ook was, *Death for a Deadly Deed* was nog armzaliger. Jasons tweede uitje baseren op het beruchte stuk van Shakespeare was slechts mijn eerste vergissing geweest. Ik was nog steeds aan het tobben toen de telefoon ging.

"Ik ben het," zei Jake. "Ik red het niet vanavond."

"Geeft niet," zei ik. "Ik verwachtte je niet."

Stilte.

Ik liet ze voortduren, wat niets voor mij is, beleefde jongen die ik ben.

"Adrien?" vroeg Jake uiteindelijk.

"Yep?"

"Ik ben agent. Dat is wie ik ben. Dat is wat ik doe."

"Je klinkt alsof je een tv-programma inleidt." Voor hij kon antwoorden, voegde ik eraan toe: "Zit er maar niet over in, Jake. Ik vind wel wat anders te doen vanavond."

Stilte.

Ik realiseerde me dat ik teveel van mijn manuscript had verwijderd. Moest ik nu Edit en dan Undo doen? Of alleen Undo? Of Control + Z? Word Perfect, niets voor mij.

"Veel plezier," zei Jake vriendelijk en hing op.

"Ik zie je wel weer," mompelde ik tegen de kiestoon.

Deze sombere afwijzingen noem ik mijn leven, zou de dichter zeggen.

Even zat ik te staren naar de knipperende cursor op mijn scherm. Het kwam bij me op dat ik wat veranderingen moest aanbrengen – en niet alleen in *Death for a Deadly Deed.*

Met een ingehouden vloek drukte ik op Bewaren en sloot het document. Exit en Afsluiten. Zie je hoe makkelijk dat is?

Ik ging naar beneden, naar de winkel, waar Angus, mijn assistent (en inwonende tovenaar), een geleverde doos boeken opende met een stanleymes.

"Hé, ik ga de stad uit," kondigde ik aan terwijl Angus als gehypnotiseerd naar de cover van een bestseller keek, waarop een met bloed bespatte bijl stond.

Ik was er niet zeker van of ik wel of niet verbinding had. Hij knipperde niet eens met zijn ogen. Angus is lang, vel over been en zo bleek als een geest. Jake heeft een aantal onaardige bijnamen voor hem, maar het joch is intelligent en werkt hard. Dat is het enige wat mij aangaat.

"Waarom?" mompelde hij uiteindelijk.

"Omdat ik rust nodig heb. Omdat ik niet kan schrijven met al deze afleiding."

Het duurde even, maar toen maakte Angus zijn bebrilde blik los van het bloederige boekomslag. "Waarom?"

Na een paar maanden had ik de Angustaal al aardig onder de knie.

"Het is gewoon zo, man. Kun jij hier opletten?" Hou je zo min mogelijk bezig met de Zwarte Mis en eet niet alle vijftig dozen koekjes in het magazijn leeg.

Angus haalde zijn schouders op. "Ik denk het wel. De lessen beginnen pas weer over twee weken."

Het was me nooit gelukt erachter te komen wat Angus nou precies studeerde aan de UCLA. Bibliotheekwetenschappen of

Inleiding tot de Demonologie?

"Dan ben ik wel weer terug. Ik wil er gewoon even een paar dagen tussenuit."

"Waar ga je heen?" Zoveel interesse voor mijn activiteiten had Angus de voorbije twee maanden nog nooit getoond.

"Ik heb een huisje in het noorden van Sonora. Net buiten Sonora, om precies te zijn, in een klein stadje dat Basking heet. Ik was van plan daarheen te rijden." Ik voegde eraan toe: "Vanavond."

"Vanavond?"

"Het is nu half vijf. Ik doe er vast niet meer dan een uur of zes zeven over."

Angus overdacht dit terwijl hij de punt van het stanleymes testte op zijn duim.

"Het is niets voor jou om zo impulsief te zijn, Adrien," was zijn oordeel. "Wat zeg ik tegen die agent van je?"

"Hij is niet mijn persoonlijke eigendom," zei ik kortaf. "Hij is een dienaar van het publiek." Op meer dan één manier. "Hoe dan ook, je hoeft het hem niet te vertellen, want ik heb geen plannen om hem snel te ontmoeten."

"Oh." Angus keek met een vaag glimlachje omlaag naar het mes. Kibbelende flikkers waren kennelijk vermakelijk.

Ik liet Angus achter, met zijn visioenen van vierendeling nog in zijn hoofd, en ging mijn koffers pakken. Het kostte niet veel tijd om een paar Levi's en een tandenborstel in mijn Gladstone-reistas te gooien. Ik maakte de koelkast leeg, diepte ergens mijn slaapzak op en smeet een paar computerschijven en cd's bij mijn kleren en laptop.

Om kwart over zes ging ik de strijd aan met het woon-werkverkeer toen ik met de Bronco koers zette naar Magic Mountain en Freeway 5. Voorbij de bergpas reden we bumper aan bumper, maar wat maakte het verdomme uit, ik had een thermosfles koffie bij me, Patty Griffins *Flaming Red* schalde uit de boxen en ik reed in de goede richting – weg van Jake.

Voorbij Mojave stopte ik om te tanken bij een vreemd uitziend pompstation, omringd door yucca's en stapels oude banden. Een enorme paarse reclameballon in de vorm van een gorilla zweefde boven mijn hoofd. Ik gooide de auto vol en genoot van een zonsondergang uit *Apocalypse Now* terwijl de reusachtige ballon vriendelijk in de woestijnwind heen en weer zwaaide. Om de één of andere reden deed de paarse aap me aan Jake denken.

Jake. Was het maar net zo makkelijk om mijn gedachten aan Jake achter te laten als het was om weg te gaan van de stadslichten, die nu twinkelden in mijn achteruitkijkspiegel.

Twee maanden geleden had rechercheur Jake Riordan mijn leven gered in wat de kranten fantasieloos de "Homoslachtermoorden" noemden. Toen het allemaal voorbij was, had Jake een officiële reprimande gekregen van de bazen van de LAPD – en had hij voor het eerst avances gemaakt, een homoseksuele rechercheur die zo diep in de kast zat, dat hij niet wist waar hij zichzelf moest zoeken.

Riordan was stoer en slim en knap en had, met uitzondering van zijn minderwaardigheidscomplex, bijna alles wat ik zocht in een potentiële partner. Maar geleidelijk aan waren er kleine dingen – zoals het feit dat hij er zich niet toe kon zetten me aan te raken – die hun tol begonnen te eisen. Oké, ik overdrijf. Hij sloeg eens een arm om mij heen toen we naar een documentaire over *hate crimes* tegen homo's keken. En ondertussen omhelsde hij me al bij het afscheid. Riordan was geen maagd. Verre van. Hij zat behoorlijk diep in de SM-scene. Maar als het persoonlijk werd, oog in oog, mond op mond, veranderde de meester in een schooljongen.

Neem nou onze eerste en enige vrijpartij.

Riordans mond was een kus verwijderd van de mijne, toen hij raar begon te lachen en zich terugtrok.

"Shit. Ik kan dit niet." Hij haalde een hand door zijn blonde haren, keek me zijdelings aan.

"Wat kan je niet? Mij kussen?"

Hij schudde zijn hoofd en knikte toen.

"Werkt mijn mondwater niet? Wat is het probleem?"

Jake maakte een geluid dat voor een lach door moest gaan. Hij antwoordde niet.

"Waarom, Jake?" vroeg ik zachtjes.

Hij gooide eruit: "Als ik mijn ogen opendoe, zie ik de poriën van je huid – er is niets mis met je huid, begrijp me niet verkeerd – maar je hebt stoppels. Je ruikt naar aftershave. Je lippen–" Hij maakte een kort en hopeloos gebaar. "Het is gewoon – je bent geen grietje."

"Dat heb je dus gemerkt." Ik klonk spottend, maar ik dacht hard na. "Dus dit is een nieuwe ervaring voor je? Je hebt seks met mannen, maar je –"

"Dat is heel anders dan dit," onderbrak Jake me. "Dit is als een... afspraakje. Dit is... vreemd."

Ja, en zwepen, kettingen en blinddoeken waren normaal?

"Je zou me kunnen vastbinden en me dan verrot slaan, maar heb je dan morgenochtend nog respect voor me?"

"Ik wil je niet op die manier," zei hij. "Ik ken jou. Het zou niet hetzelfde zijn."

Geweldig. Liever vernederde hij onbekende in leer gehulde mannen dan een man te kussen die hij kende. En naar ik veronderstel, ook leuk vond.

"Begrijp ik het goed? Je wilt geen seks met mij?"

"Ik wil zeker wel seks met jou."

'Zeker'. Wat dacht ík nou?

"Maar?"

"Ik weet het niet!" zei hij ongeduldig. "Waarom gaan we geen film kijken of zo?"

We keken veel films. Ik kende nu alle films van Steven Seagal en Vin Diesel en de afgelopen maand had ik meer films over superhelden bekeken dan ik ooit in mijn jeugd had gezien. Het was niet allemaal *cinéma vérité*. We gingen zelfs een paar keer, niet geheel ontspannen, uit eten. Ik vermoedde dat Riordan op zijn hoede was omdat sommige van zijn politiemaatjes hem misschien gezellig zagen zijn met een bekende homo, hoewel hij teveel een heer was om dat hardop te zeggen.

We praatten meestal. Bij mij thuis. Achter gesloten deuren. Niet helemaal vanuit het hart, maar Jake praatte over zijn werk en zijn familie: Ma, pa, twee broers (één op de politieschool) die allemaal dachten dat James Patrick Riordan zo hetero was als maar kon.

Meestal was Jake aan het woord. Mijn rol was gewoonlijk die van luisteraar. Zo nu en dan stelde hij me vragen die ik schaarde onder het kopje "Hoe leeft een homo?": Hoe vaak per maand had ik seks? (Hè... waar ging dit over?) Wanneer was ik uit de kast gekomen? (Na de universiteit – toen het te laat was voor mijn moeder om er nog wat aan te doen.) Waar ging ik heen om mannen te ontmoeten? (Oorden des verderfs?)

Hoewel Jake ouder was en waarschijnlijk meer ervaring had, voelde ik me soms zijn homoseksuele mentor of Grote Homobroer. Ik voelde me niet zijn geliefde.

Een maand van elkaar voorzichtig gezelschap houden en dan een maand van excuses en afgezegde afspraken.

Het was al afgelopen voor het begonnen was.

"Luister," zei ik op een avond toen hij vier uur te laat kwam voor weer een geheim etentje, "je doet maar alsof. Waarom doe je nog moeite?"

Zijn blik boorde zich in de mijne. "Het is nooit mijn bedoeling geweest wat met jou te beginnen, Adrien," zei hij bot.

"Nou, dat is makkelijk, want dat doe je ook niet."

"Ja, dat doe ik wel." En hij legde zijn grote hand over de mijne.

Zielig, maar om die momenten hield ik vol. Ik gebruik de term "volhouden" ruim, want mijn leven was voor het grootste deel precies hetzelfde als ervoor, met uitzondering van het sprongetje dat mijn hart maakte als ik Riordans stem aan de andere kant van de lijn hoorde – en dat kon net zo goed betekenen dat mijn hart het niet meer goed deed.

Het was zeker geen liefde, want ik weigerde om iets te doen

dat zo zelfdestructief was als houden van een man die zichzelf haatte omdat hij homoseksueel was – wat dus waarschijnlijk ook betekende dat hij onbewust een hekel had aan mij. Ik stelde mezelf gerust dat ik Riordan weliswaar leuk vond, maar dat ik alle mogelijkheden open hield. Ik stond er nog steeds voor open nieuwe mensen te leren kennen, nieuwe vrienden te maken of een geliefde te ontmoeten.

Waarom dan die frustratie en boosheid, zelfs pijn, als de grote jongen de stekker eruit trok zoals hij deze avond had gedaan?

Voorbij Bakersfield maakte ik een sanitaire stop op een parkeerplaats. Ik liep wat rond en strekte mijn benen, kocht een bagel bij een eetkraam en keek nog eens op de kaart bij het licht van de daklampen van de SUV.

De volle maan scheen helder, verlichtte de glooiende heuvels bedekt met eiken en af en toe een boerderij. Mijlenver niets anders dan lege snelwegen en een met sterren bezaaide hemel. Kilometerslang niets anders dan nog meer kilometers, terwijl ik verder noordwaarts reed samen met de enorme vrachtwagens. Ik reed zo'n 120 kilometer per uur en zette de auto op de cruise control zodat ik niets anders hoefde te doen dan nadenken en herinneringen ophalen.

Het was vierentwintig jaar geleden dat ik Pine Shadow Ranch voor het laatst had gezien. Dat was de zomer voordat mijn grootmoeder Anna overleed. Ik was acht jaar oud en de zomervakanties met Granna waren de gelukkigste van mijn leven.

Granna was een soort familielegende. Als één van die vrouwen uit de rumoerige jaren twintig had ze haar welstellende man gedumpt en was ze teruggekeerd naar haar geboorteplaats om paarden te fokken en rel te schoppen, afhankelijk van haar stemming. Ik herinnerde me haar als een lange vrouw, zo mager als een lat met een grijs knotje en een getaande huid. Mijn omaatje rolde haar eigen sigaretten, reed als een cowboy en vloekte in het Italiaans – de taal die haar kindermeisje had gesproken. Het moet me de kindertijd wel geweest zijn, gezien de hoeveelheid scheldwoorden die ze kende en het gemak waarmee ze vloekte.

Er was geen enkele aanwijzing geweest dat die zomer de laatste zou zijn. Maar twee weken nadat ik teruggekeerd was onder mijn moeders sierlijke rokken, kwam mijn grootmoeder om het leven door een val van haar paard.

Tot mijn moeders ergernis liet Granna haar hele bezit aan mij na. Het moet gezegd, Granna's bezit was niets in vergelijking met het fortuin dat mijn lieve overleden vader opzij had gezet voor Lisa, maar het was genoeg om nooit meer financieel afhankelijk te hoeven zijn van ma.

Ik erfde de helft van het geld toen ik eenentwintig werd en dat had ik uitgegeven aan wat nu *Cloak and Dagger Books* was. De rest zou ik erven als ik veertig werd, wat in zware financiële tijden eindeloos ver weg leek. Wat betreft Pine Shadow Ranch: ik had enkele meubels naar mij op laten sturen, maar zelf was ik nooit meer teruggegaan. Ik herinnerde het me liever zoals het was geweest. Er was iemand die een oogje in het zeil hield, maar het kon net zo goed een vervallen ruïne geworden zijn tegen de tijd dat ik besloot om die 400 mijl richting verleden aan te vatten.

Het was bijna elf uur toen de baan zich vernauwde tot een smalle weg tussen pijnbomen en bergen. Ik draaide het raampje open. De avondlucht was koud en helder en er hing sneeuw in de lucht.

De daaropvolgende 120 kilometer van kronkelende wegen zat ik klem tussen een monstertruck (zijn verstralers gericht op mijn achteruitkijkspiegel) en een rammelende pick-up met op zijn kentekenplaat URUGLY. Iedere vijf mijl was er weer een blinde bocht en de monstertruck slingerde dan naar de verkeerde weghelft alsof hij Russische roulette speelde. Een halve minuut later kwam hij dan weer terug in formatie, net op tijd om een botsing met een tegemoetkomende auto te voorkomen.

Op het laatst speelde hij zijn grootste spel, riskeerde alles, brulde de bocht door, en ontweek op het nippertje een houthakkerstruck vol boomstammen. Hij verdween in de nacht en liet een geur van diesel achter.

Nu waren alleen ik en de man in de pick-up over die 70 kilometer per uur reed. Nadat ik de laatste koffie in mijn thermoskopje had gegoten, klungelde ik met de radio teneinde een radiostation te vinden dat iets anders draaide dan 'tranen met bier', 'een schouder om op uit te huilen' en 'met de vlam in de pijp'. Ondanks de overdosis cafeïne was ik doodmoe en mijn ogen vielen bijna uit mijn hoofd.

Terwijl ik snel de fase van uitputting naderde, waarin ik niet meer zeker was of ik nog reed of dat ik droomde dat ik reed, miste ik bijna de afslag. De volgende twintig kilometer waren een beproeving voor zowel de schokdempers van de Bronco als voor die van mij, maar uiteindelijk herkende ik Saddleback Mountain en wist ik dat de Pine Shadow Ranch om de volgende bocht lag.

Ik schakelde naar een lagere versnelling voor we aan de afdaling begonnen. De Bronco ratelde over een wildrooster. Voor me lag de ranch doodstil in het heldere maanlicht; vanaf een afstand leek het of ze helemaal niet veranderd was. Ondanks de donkere ramen en lege kralen kon ik mezelf er bijna van overtuigen dat ik thuis kwam, dat er iemand wachtte om me te verwelkomen.

Toen ik dichterbij kwam, kon ik het bord onderscheiden dat op houten palen boven het geopende hek hing. Ooit hadden daar de in het hout gebrande letters *Pine Shadow Ranch* op gestaan. Ik ging langzamer rijden; de koplampen van de Bronco schenen op een aantal vormen in de duisternis: de bouwvallige schuur achter het huis, een scheve windmolen, een kapotte schommel aan één van de bomen – en iets op de grond.

Ik remde abrupt. Ik was zo gespannen dat ik graag wilde geloven dat mijn ogen me voor de gek hielden, maar terwijl ik wachtte en de motor van de Bronco stationair draaide, leek het ding op de grond geen aanstalten te maken om te verdwijnen.

Te moe om voorzichtig te zijn klom ik uit de auto. Het was geen speling van het licht, geen schaduw. Er lag een man met zijn gezicht naar beneden in de modder.

Ik draaide om hem heen, mijn voetstappen klonken luid in de heldere nacht. Vanaf de andere kant van het terrein hoorde ik een kapot luik klapperen. Wind ruiste door het lange gras. Ik knielde naast hem neer.

Bij het licht van de koplampen kon ik zien dat zijn gezicht opzij was gedraaid. Zijn ogen stonden wijd open, maar hij leefde niet meer. Ik zag geen ademhaling in de koude lucht, zijn schouders gingen niet op en neer. Er zat een gat ter grootte van een munt tussen zijn schouderbladen.

Ik haalde diep adem. Dit was niet mijn eerste ervaring met moord, maar ik kreeg nog steeds het gevoel dat ik toekeek vanuit een ander universum – een gevoel dat meestal voorafging aan flauwvallen. Ik wreef met mijn hand over mijn gezicht. Het leek zo'n gezelschapsspel waarbij je je binnen dertig seconden zoveel mogelijk voorwerpen moest herinneren. Onvermijdelijk zie je details in plaats van het hele plaatje.

De man leek rond de zestig te zijn. Zijn dunne haar zat vastgeplakt aan zijn hoofd. Het was grijs, zijn vingernagels waren vuil. Hij droeg een vale jeans, een geruit flanellen hemd en cowboylaarzen. Ik had hem nog nooit eerder gezien en als dat wel zo was, herkende ik hem niet.

Toen ik mijn hand naar hem uitstak om zijn pols aan te raken, ging er een schok door me heen, alsof ik niet goed geaard was.

Hij was nog warm.

Ik richtte mijn hoofd op en staarde naar het doodstille huis. Ik keek naar de omliggende heuvels, de wakende bomen.

De wind fluisterde door het hout. Verder was er geen beweging. Alles was stil… Té stil eigenlijk. Starend in de door wind geteisterde duisternis raakte ik ervan overtuigd dat er iemand naar me keek. Het haar in mijn nek ging recht overeind staan. Mijn hart sloeg op de oude vertrouwde manier tegen mijn ribben; een keer links en een keer rechts en dan links, links, links.

Ik heb hier geen tijd voor, waarschuwde ik mijn niet meewerkende rikketik toen ik terug in de Bronco sprong. Met een grote bocht draaide ik terug, drukte het gas in zover ik kon en reed in een rotvaart over de hobbelige weg vol putten terug naar waar ik vandaan kwam.

Terwijl ik hotste over de weg zocht ik naar mijn mobiele telefoon. Uiteindelijk vond ik hem en ik draaide het alarmnummer.

Hij ging over – en over – en over. Eindelijk werd er door een slaperig iemand van de plaatselijke politie opgenomen. Ik opende mijn mond, maar ik werd meteen in de wacht gezet. Een seconde voordat ik spontaan ontbrandde kwam er weer iemand aan de lijn, en de stem, nog steeds slaperig – had ze net een dutje gedaan? – vroeg wat er voor noodgeval was. Nadat ik het een paar keer had verteld, leek ze toch te begrijpen waar ik het over had en ze beloofde hulp te sturen.

Ze hield zich aan haar woord, ze stuurde de cavalerie. Een zwart-witte SUV kwam me twintig minuten later tegemoet aan het begin van Stagecoach Road, met de zwaailichten aan en een gillende sirene.

"Wat is het probleem, meneer?" De man in uniform was van middelbare leeftijd, goed doorvoed en heel anders dan de agenten die ik de afgelopen maanden had leren kennen.

Ik legde hem het probleem uit.

"Okidokie," zei sherrif Billingsly, terwijl hij aan zijn streperige baard krabde. "Spring in de truck, dan gaan we even een kijkje nemen bij deze – zoals jij beweert – dode man."

Ik perste me in de cabine, bij de sheriff en zijn wachtende hulpsheriff, Dwayne. Dwayne zag eruit alsof hij zo van de set van de *Dukes of Hazzard* was gewandeld. Hij verplaatste zijn pruimtabak naar zijn andere wang.

"Hallo."

"Hoi," zei ik tussen mijn tanden door, die begonnen te klapperen van de zenuwen.

Dwayne zette de truck in de versnelling en we gingen op weg.

"Het was hier," zei ik even later toen we over het wildrooster kletterden. "Net buiten het hek."

"Precies hier?" vroeg de hulpsheriff, terwijl hij snelheid minderde toen we het hek naderden.

De koplampen beschenen de lege zandweg.

"Stop," beval ik, "hier heb ik hem gevonden."

De hulpsheriff trapte hard op de rem en we schoten alle drie naar voren en weer terug.

"Hier?" vroeg de sheriff.

We staarden alle drie naar het eenzame tumbleweed dat over het verlaten terrein rolde.

"Daar lag hij," zei ik.

Stilte.

"Wel, nu niet meer," zei de sheriff.

2

Ik werd wakker na een lange, droomloze slaap. Langzaam werd ik me bewust van twee dreigende ogen die in de mijne keken. Een eekhoorn stond een paar centimeter verwijderd van mijn neus, zijn snorharen alarmerend trillend.

Het alarmerende gevoel was wederzijds. Ik slaakte een kreet en gooide het kussen, gevormd door mijn opgevouwen jas, naar mijn bedgenootje. De eekhoorn ging ervandoor, in een wolk opstuivend stof, en verdween door de schoorsteen boven de haard aan het andere eind van de kamer. Hoestend kwam ik overeind en keek om me heen.

Een dikke laag fluweelachtig stof bedekte alles wat niet onder lakens zat. Stoelen, tafels, lampen, bijna alles zat verstopt onder lakens. Het was alsof ik wakker was geworden in een spookhuis. Spinrag hing artistiek aan de zwarte dakbalken.

Toen ik de vorige nacht eindelijk was neergeploft op de gestoffeerde sofa was ik te opgebrand en uitgeput om het op te merken. In het kille daglicht werd me duidelijk dat ik een instorting moest hebben gehad. Alleen tijdelijke verstandsverbijstering kon verklaren waarom ik in mijn ondergoed in deze lang vergeten kamer lag.

April is behoorlijk koud in de bergen, ondanks de zon en de wilde bloemen. Ik trok mijn Levi's en een flanellen hemd aan. Ter ere van Jake viste ik een biertje uit de koelbox en liet een mondvol tussen mijn tanden door spoelen terwijl ik op de deksel zat en de omgeving in me opnam.

De lange, brede kamer had een reusachtige stenen haard aan de ene kant. De houten vloeren waren nu kaal; ik herinnerde me dat er ooit prachtige Indiaanse tapijten hadden gelegen. Zwarte gargouillevoeten staken onder de stoffige lakens uit. Als ik het me goed herinnerde, zaten onder al die linnen bobbels en heuvels zware walnoten meubels, bekleed met rood fluweel of grijs satijn. Vale gordijnen flankeerden de enorme ramen die een uitzicht boden dat de moeite waard was. Achter de bomen, in de verte, kon ik de bergen zien, op de toppen lag nog sneeuw. De lucht was azuurblauw, een woord dat we niet vaak gebruiken in LA. Geen wolkje, geen vliegtuig, geen telefoonkabels die dat weidse blauwe uitzicht verpestten.

De stilte leek onnatuurlijk, het zou wel even duren voor ik daaraan gewend was. Ik hoorde het zachte vibrato van een leeuwerik, verder niets. Geen verkeer op de achtergrond, geen stemmen. Pure stilte. Ik luisterde er even naar, wachtte op iets dat de magie zou verbreken.

Iets.

Gesmeerd door nog een slok bier begonnen de raderen te draaien. Het avontuur van gisteravond voelde al als een halfvergeten nachtmerrie – tot die conclusie moest de plaatselijke politie wel komen nadat ze geen enkel spoor van "mijn" lijk hadden kunnen vinden.

"Waarschijnlijk was het een schaduw," had de sheriff grootmoedig gezegd, niet toegevend aan wat duidelijk zijn eerste gedachte was.

"Ik zeg het u, er was een lichaam."

"Misschien een coyote," suggereerde hulpsheriff Dwayne. "Kan neergeschoten zijn door een boer en zichzelf hebben weggesleept."

"Dat zal het zijn," was ook de sheriff van mening, blij met dit scenario.

"Het was geen dier," zei ik. "Ik ben uit de auto gestapt en ben ernaast geknield. Het was een man." Ik beschreef de man voor de tweede keer.

"Het zou Harvey kunnen zijn," zei de hulpsheriff aarzelend, met een blik op zijn baas.

"Zeker, weer dronken. Of misschien stoned," was de sheriff het met hem eens. "Dat zou mogelijk kunnen zijn."

"Ted Harvey? De opzichter?"

"*Opzichter?*" herhaalde de sheriff. Hij en zijn assistent wisselden een blik uit. "Jazeker, dat moet het zijn. Waarschijnlijk is hij uiteindelijk bijgekomen en weer naar huis gewankeld om zijn roes uit te slapen."

"Waarschijnlijk kotst hij op dit moment zijn ingewanden uit," ging de hulpsheriff erin mee. Hij spuwde wat van zijn pruimtabak op een mosterdbloem.

Ik schudde mijn hoofd, maar de sheriff zei kortaf: "Meneer, ik geloof dat u vanavond iets dácht te zien. Ik geloof niet dat u met ópzet belastinggeld verspilt en overheidsdienaren voor niets ophoudt..."

"Maar?" Noem me paranoïde, maar ik voelde de impliciete bedreiging.

"Maar u kunt zelf zien dat hier niets is. Geen bloed. Geen afdruk van een lichaam in het zand."

"Dan was het ook geen coyote."

Ze keken me zonder sympathie aan.

"Wat het ook was, het is nu weg," zei sheriff Billingsly. "Daar kunnen we niet veel aan doen. De maan gaat zo onder. Binnen een half uur is het hier zo donker als een neger in een kolenmijn."

Charmant.

"U zou kunnen controleren of Harvey thuis is gekomen," zei ik. "Hij woont op het terrein in een caravan, denk ik."

"Meneer, ik ben niet bevoegd om nog meer tijd te verspillen aan deze onzin. Er is hier niets."

Tot zover de arm der wet.

Ze reden me terug naar de Bronco en adviseerden me naar Basking te gaan en daar een kamer in een motel te nemen om de nacht door te brengen. Met een "Rij voorzichtig" lieten ze me achter. Nerveus en uitgeput staarde ik hun verdwijnende achterlichten na.

Ik stapte in de Bronco en reed langzaam terug de heuvel af naar de ranch, mijn blik op de kant van de weg om te zien of ik nergens mijn lijk zag. Alsof we het op één of andere manier hadden kunnen missen.

Toen ik de ranch uiteindelijk bereikte, deed ik de voordeur open, laadde mijn spullen uit en liet me vallen op de dichtstbijzijnde bank. Al had het dode lichaam in een van de stoelen gelegen, dan had ik het nog niet gemerkt.

Uren later werd ik verstijfd wakker, ongemakkelijk, maar bijna geneigd te geloven dat ik het me door de vermoeidheid gisteravond maar verbeeld had. Bijna.

Nu ik daar zo zat in de lentezon voelde ik me vreemd kalm. Misschien kwam het door de verandering van omgeving. Misschien was ik nog te moe om ook maar iets te voelen.

Ik overwoog of ik het nodig vond om het mysterie van het doorzeefde lijk op te lossen. Ik had de politie gebeld en zij hadden de zaak onderzocht en besloten dat er niets was. Dus dat was dat, toch? Zaak gesloten.

Maar het kon geen kwaad om nog een laatste dingetje te controleren. Alleen maar voor de zekerheid.

Terwijl ik snel een hemd aanschoot beende ik naar de caravan die achter de lege veekralen geparkeerd stond. Ernaast stond een gehavende witte pick-up, waarvan ik aannam dat die van Harvey was. Ik voelde aan de motorkap. Koud.

Ik sloeg op de verroeste deur van de caravan.

Binnen hoorde ik iemand praten, heel zacht.

“Hé! Is er iemand thuis?”

Het gefluister ging door.

Ik probeerde de deur. Hij ging open.

Ik stak mijn hoofd naar binnen.

Aan één blik had ik genoeg om te ontdekken dat de stem van de televisie kwam. Een aflevering van *Bassmasters*. Ted Harvey mocht hier dan wonen – hoewel het rook of hij hier gestorven was – maar er was nu geen spoor van hem te bekennen. Uit de stapels Playboys, de lege bierblikjes en de vuile vaat kon ik afleiden dat hij een rijk gevuld leven leidde.

Terwijl ik door de caravan heen liep verwachtte ik half en half dat er een lichaam uit de kast of uit de piepkleine badkamer zou komen vallen. Maar dood of levend, er was niemand thuis. Ik keek om me heen, op zoek naar een foto van Ted; maar er waren geen kiekjes te vinden. Ik deed de tv uit en de lampen die nog aan waren. Ze moesten ook gebrand hebben toen ik de avond voordien arriveerde, maar ik had het niet gemerkt. Ik wist niet wat de politie ervan zou denken, maar uit brandende lichten en een schreeuwende tv leidde ik af dat Harvey plotseling was vertrokken toen het al donker was.

Even staarde ik door de ruitjes naar de groene heuvels, met vlekken sneeuw. Dat bleken echter witte, wilde bloemen te zijn. Ik vroeg me af wat Grace Latham zou doen – Grace, die de detective was in de boeken van Leslie Ford, één van mijn twee favoriete misdaadauteurs. Ik denk dat Grace in mijn plaats een klein beetje zou rondsnuffelen in Harveys persoonlijke bezittingen. Het rondsnuffelen van Grace leidde er meestal toe dat ze neergeslagen werd.

Ik ging weer naar buiten en sloot de deur.

Zelfs al hadden mijn ogen me gisterennacht bedrogen, en zelfs al had ik een dronken man voor een dode man aangezien, de dronkaard had zichzelf in ieder geval niet overeind gehesen en was niet naar huis gestrompeld.

Ik keerde terug naar het huis en zette de mogelijkheden nog eens op een rijtje. Bij daglicht leek mijn vlucht uit LA extreem. Maar nu ik hier was, en met de benzineprijzen in mijn achterhoofd, besloot ik er maar het beste van te maken. Eén ding was zeker, ik zou waarschijnlijk heel wat kunnen schrijven. Er leek hier binnen een straal van zeker vijftig kilometer geen wezenlijke afleiding te zijn.

In de keuken waste ik een paar borden af, poetste het fornuis en de mahoniehouten tafel, bakte wat kalkoenspek en de enige twee eieren die de rit hadden overleefd. Terwijl ik at, maakte ik plannen.

Mijn plannen hadden overigens niets te maken met speuren en

alles met schrijven. Ik had genoeg gespeurd voor mijn hele leven.

Het nieuwe jaar was heftig begonnen met de moord op één van mijn oudste en beste vrienden. Even had het erop geleken dat ik ofwel zelf het slachtoffer zou worden, of dat ik de komende twintig jaar spelletjes had mogen spelen in de gevangenis, met mannen die Ice Pick en Snake als bijnaam hadden.

Maar dat was allemaal verleden tijd. Ik had het gehad met de misdaad – behalve in fictie. Mijn eerste eigen detective, *Murder Will Out*, met de homoseksuele detective en Shakespeare-acteur Jason Leland, zou over een paar maanden verschijnen. Tussen mijn aanvallen van writer's block door, probeerde ik nu het vervolg in elkaar te boksen.

Het grappige was dat ik nooit een writer's block had gehad, tot ik mijn eerste manuscript had verkocht. Toen trad voor het eerst de creatieve verlamming in.

"Je denkt er waarschijnlijk te veel over na," had Jake opgemerkt, met zijn onverwachte en irritante inzicht dat hem zo'n goede rechercheur maakte.

Na het ontbijt klom ik weer in de Bronco en reed naar Basking om inkopen te doen; gebakken eieren en bier voor het ontbijt maakten weliswaar dat ik me een enorme macho voelde, maar het ging wel vervelen.

Basking is veel kleiner dan Sonora, één van de beter bekende oude mijnstadjes van Californië, en bovendien de hoofdstad van het district. Dit was ooit een goudmijn, maar tegenwoordig kwamen de inkomsten van houthakken, toerisme en landbouw. Mark Twain en Brett Harte maakten de plek beroemd, maar de toeristen hadden nu niets meer te zoeken in Basking. Het was een kleine stad, sommige gebouwen dateerden uit begin negentiende eeuw, wat oud is in Californië. De smalle, steile straten waren gedeeltelijk verhard en er stonden bomen aan de kant die ouder waren dan de stad zelf. Op de etalageramen stonden in ouderwets schrift dingen geschilderd als: *Gentlemen's Haberdashery* of *Polly's*

Confectionery. De klassieke houten huizen waren tot in de puntjes onderhouden en geverfd in felle kinderkleuren.

Er waren niet veel mensen op straat die vrijdagochtend; een paar oude kerels zaten buiten voor de kruidenierszaak toen ik de grote houten trap naar de veranda beklom.

"Dus Custer zegt tegen zijn broer," zei een van de oudjes tegen de ander, "ik weet verdomme niet wat er mis is met die Indianen – gisteren op de dansavond leken ze nog oké!"

Het tweede oudje lachte waarderend zijn tandeloze lach en sloeg op zijn knie.

Ik duwde de afgebladderde deur open. Een bel klonk luid toen ik de winkel binnen stapte. Het eerste wat ik zag was een gigantische door de motten aangevreten buffelkop boven de toonbank. Mijn blik ging omlaag naar een dame van rond de tachtig (ik kan er een jaar of tien naast zitten), die me rustig aankeek terwijl ze met een blauwe tandenstoker tussen haar tanden porde.

"Hulp nodig, jongen? Je lijkt verloren."

Ik vertelde haar wat ik nodig had en ze wees me vriendelijk de weg naar de rekken met kalfsvoeten en varkenszwoerd in het zuur.

"Verkoopt u Tab?"

"Jochie, ik heb dat spul niet meer gezien sinds de jaren zestig."

Toevallig bleken sommige van de blikken op de planken net zo oud te zijn. Voedsel of verzamelobject? Kies zelf maar.

"Op doorreis?" vroeg de eigenares met de tandenstoker in haar mond toen ik mijn boodschappen uiteindelijk op de toonbank uitstalde.

"Nee. Ik verblijf op Stagecoach Road."

Ze bekeek me met een doordringende blik en begon toen zo abrupt te kraaien dat ik bang was dat ze de tandenstoker zou inslikken. "Ik herken je! Jij bent dat magere joch dat hier altijd kwam met Anna English."

"Dat ben ik."

Ze haalde haar tandenstoker uit haar mond en zwaaide ermee

naar mij om haar betoog kracht bij te zetten. "Kleinkind of zo, nietwaar? De enige levende familie. Jij bent degene die die nietsnut van een Ted Harvey betaalt om maar wat rond te hangen en de hele dag hash te roken."

"Ik betaal hem om op mijn eigendom te passen." En hash roken was een extralegaal voordeeltje.

"Dat denk jij, jongen," informeerde het oude besje me. Ze begon mijn boodschappen aan te slaan op een antieke kassa, haar met potlood getekende wenkbrauwen optrekkend bij zulke vreemde artikelen als gerookte amandelen en instant havermout met appel-kaneelsmaak.

"Van plan om een tijdje te blijven zeker," merkte ze op.

"Een week of zo."

"Heb je gezelschap?"

"Nee," zei ik, en voegde er gauw aan toe: "Niet tot vanavond." Waarom rondstrooien dat ik daar alleen was in die afgelegen vallei?

"Waarom ben je niet teruggekomen toen je oma overleed?"

"Ik was acht. Ik had nog geen rijbewijs."

Dat herinnerde haar aan alle mensen die een rijbewijs hadden en het niet zouden moeten hebben. Ze trakteerde me op een paar verhalen over verkeersdoden terwijl ze de boodschappen inpakte en zei: "Je kunt maar beter eens een woordje wisselen met die klaploper van een Ted Harvey. Een van de dagen brandt hij de boel nog eens plat."

Terug op de ranch ging ik nog eens op zoek naar die klaploper van een Ted Harvey. Hij was nog steeds onvindbaar.

De rest van de middag besteedde ik aan het gezellig maken van de ranch. Ik gooide de ramen en deuren open om te luchten, haalde de stoflakens weg en ging de ergste spinnenwebben te lijf met een bezem die behoorlijk antiek leek. Ik stofte af, boende, veegde – alles om maar niet te hoeven schrijven. Mijn strijdlust verdween echter toen ik de studeerkamer van mijn grootmoeder bereikte.

Daar stonden diverse vitrinekasten vol boeken, die ik helemaal vergeten was.

Ik liet de bezem vallen en liep langzaam dichterbij, mijn hartslag versnelde van de opwinding die alleen boekenliefhebbers in een vergevorderd stadium van verslaving kennen. Nadat ik het stof van de deurtjes had geveegd, bekeek ik alles van dichtbij. Een in linnen gebonden hardcover met gegraveerde witte letters: *The Bride Wore Black*. Cornell Woolrich. Een eerste editie. Een zeldzame eerste editie bovendien.

Ik trok de glazen deur open en hurkte neer. Detectives. Plank na plank vol misdaadromans.

Ik ademde lang uit. Paperbacks en hardcovers. Agatha Christie en Raymond Chandler. Al het goede spul: Hammet, Tey, Stout, Marsh – een paar van mijn favoriete Leslie Fords. De jonge Jim Hawkins had niet enthousiaster kunnen zijn met een emmer vol piratengoud.

Er waren een paar romantische gothic novels, maar de smaak van mijn grootmoeder leek zich toch meer toe te spitsen op het ruwe werk. Geen homodetectives natuurlijk. De eerste "normale" homodetective verscheen pas in 1970: Joseph Hansens *Fadeout*. Hansen mocht dan niet op de bestsellerlijst van de *New York Times* zijn gekomen met zijn Brandstetter-serie, maar hij zette wel de toon voor de rest van ons.

Het grappige was dat ik me tot op dat moment niet had herinnerd dat mijn grootmoeder van misdaadromans hield. Nu vroeg ik me af of haar leesgewoontes onbewust de mijne beïnvloed hadden. Lisa, mijn moeder, las alleen non-fictie, áls ze al ooit las.

Om ongeveer vijf uur maakte ik me lang genoeg los van de boeken om snel wat zalm en aardappelen te bakken op de manier die Granna me twintig jaar geleden had geleerd. Jake zou onder de indruk geweest zijn. Hij dacht altijd dat ik zou verhongeren als ik mijn blikopener kwijt raakte.

Ik vroeg me af hoe lang het zou duren voor hij in de gaten had dat ik de stad uit was – als hij het al ooit opmerkte.

Na het avondeten stopte ik Andrea Bocelli in de cd-speler, vond een paar oude blokken in de mand met brandhout en gooide ze in de open haard. Opgerold in een van de enorme antieke stoelen bereidde ik me voor op een avond met Grace Latham. Grace was een typische amateurdetective uit de tijd voor WO II. Ze was rijk, welopgevoed en zat er gewoonlijk helemaal naast in haar detectivewerk, dus vraag me niet waarom ik affiniteit met haar voelde.

Enige zalige uren gingen voorbij tot mijn concentratie werd verstoord door het geluid van een naderende auto.

Ik legde het boek opzij en liep naar buiten, de lange veranda op, die achteraan langs de hele lengte van het huis liep. In de verte kon ik spookachtige lichten zien opdoemen die langzaam de berg af kwamen – koplampen. Die weg was de oude route van de postkoets en leidde naar dit huis dat oorspronkelijk als stopplaats fungeerde. Met mijn handen diep in mijn zakken wachtte ik. De nacht rook naar verbrand hout en de wilde rozen die naast het huis groeiden. Het was bijtend koud. Ik verlangde naar de warmte van het huis, die ik door de open deur voelde komen.

Terwijl ik daar op en neer stond te wippen begon ik me behoorlijk alleen te voelen, mijlenver verwijderd van de stad, mijlenver verwijderd van de dichtstbijzijnde ranch, mijlenver verwijderd van alles. De wind in de bomen klonk als stromend water, een somber geluid. Het was een kwarteeuw geleden dat ik nog zo verstoken was geweest van menselijk contact. Stadsjongen, schimpte ik tegen mezelf.

Na een tijdje stierf het geluid van de motor weg, evenals de lichten. Dat was vreemd. Kampeerders?

Veedieven? Die zouden hier tegenwoordig niet veel meer vinden. Even dacht ik erover om het uit te zoeken. Misschien lag hier wel de oplossing voor het mysterie van mijn vermiste lijk. Maar anders dan mijn dappere Jason – of zelfs Grace Latham – moest ik concluderen dat een nachtelijke verkenning geen goed idee was. Nog korter overwoog ik om de sheriffs te bellen. Na ons laatste onderonsje wilde ik niet weer de zenuwpees zijn waarvoor ze me waarschijnlijk hielden.

Terug binnen gooide ik een paar blokken hout op het vuur en ging verder met mijn boek. Korte tijd later begonnen de zinnen echter al door elkaar heen te lopen. Uitgeteld door meer lichamelijke activiteit dan ik normaal in een hele maand had, kroop ik in mijn slaapzak en viel onmiddellijk in slaap.

Ik werd wakker van het geschreeuw van een uil. Even wist ik niet waar ik was. De kamer werd door de maan verlicht. De schaduw van een boom gleed over de muur. Ik tuurde naar de rode gloeiende kooltjes in de open haard en luisterde gespannen.

Uiteindelijk hoorde ik het weer, het geknerp van voetstappen op kiezels. Ik rolde uit de slaapzak en ging naar de ramen toe. De nacht zag eruit als het decor van een goedkope horrorfilm, gefilmd met een blauwe filter.

Alles was stil. Muisstil.

Had ik me de geheimzinnige voetstappen verbeeld?

Ik trok haastig mijn spijkerbroek en mijn schoenen aan en greep mijn zaklamp. De lucht was bitter koud toen ik buiten op de veranda kwam. De omliggende bergen waren bedekt met de puntige kruinen van pijnbomen. Ik liep zo zacht mogelijk over de veranda en verstijfde toen een houten plank zo luid kraakte onder mijn voeten dat het klonk als brekend bot.

Geen beweging.

Ik liep verder rond het huis.

De omliggende afdakjes en de schuur stonden donker en bewegingloos in het maanlicht. De vorst glinsterde op de daken. Snel ging ik de trap af naar beneden. Er bewoog niets op het terrein. Ik stond in de schaduw van het huis en wachtte.

Niets.

Uren leken voorbij te gaan terwijl ik keek. Ik was slaperig. Ik had het koud. Ik zei tegen mezelf dat als er een dief was geweest, hij nu al lang verdwenen zou zijn. Ik herinnerde mezelf eraan dat ik mijn rust nodig had. Ik was een schrijver, geen detective, amateur of niet, en dit was verspilling van tijd en waardevolle slaap.

Tenslotte overtuigde ik mezelf en ik begaf me terug in het huis. nadat ik nog een blok hout op de dovende kolen in de haard had gegooid, kroop ik rillend op de bank in mijn slaapzak.

Na een paar minuten ontdooide mijn lichaam en ik zonk weer weg in verwarrende dromen over Grace Latham die spinrag verwijderde uit de caravan van Ted Harvey.

We moeten het tot op de bodem uitzoeken, zei ze tegen me in mijn droom.

Wat moeten we uitzoeken?

Alles, antwoordde Grace eenvoudig.

Ik werd tegelijk met de vogels wakker. De leeuwerik vormde een plezierig alternatief voor mijn wekker. In het frisse ochtendlicht liep ik langs de lege veekralen, de lege stal en de lege caravan van mijn vermiste klusjesman, daarna liep ik de heuvels in.

Ik zwierf een hele tijd rond en genoot van de warme aanraking van het zonlicht op mijn gezicht. Ik nam de tijd en beklom de heuvel, die eigenlijk meer een kleine berg was. "Vind de dichtstbijzijnde berg, beklim die en vrede zal over u dalen als de zon over de bomen," zei John Muir. Op de top van de heuvel hield ik halt om de frisse berglucht diep in te ademen. Toen ik klaar was met hoesten keek ik om me heen.

Dat was het moment waarop ik merkte dat het veld waarin ik stond niet overdekt was met wilde bloemen, noch met gras of varens – hoe bekend de gekartelde blaren me ook voorkwamen.

Ik liet mijn hersenen even werken en kwam tot de conclusie dat ik tot mijn middel in het soort begroeiing stond dat je niet maait, maar rookt. Na een moment van stille verbijstering rende ik de berg af naar beneden, het huis in, naar de telefoon; ik wíst dat er een goede reden was geweest om het abonnement te blijven betalen. Instinctief belde ik mijn oude maatje, rechercheur Jake Riordan.

Terwijl ik met mijn vingers op het bekraste hout roffelde, wachtte ik op het antwoordapparaat. Na vier keer overgaan nam Jake op en mompelde: "Hallo?"

"Jake," hijgde ik, nog buiten adem van mijn sprint, "ik ben het. Ik heb hul– advies nodig. Toen ik hier aankwam was er een lichaam – een dode man op het terrein. Hij was neergeschoten. Van achteren. Toen de sheriffs hier kwamen was hij weg. Verdwenen. En nu heb ik wiet gevonden, marihuana, op mijn heuvel."

Toen ik pauzeerde om adem te halen, gromde Jake: "Hoeveel koffie heb jij verdomme gehad vanmorgen?"

Op de achtergrond hoorde ik een murmelende vragende stem. Een vrouwenstem.

Ik weet niet waarom het nooit eerder bij me opgekomen was dat Jake nog steeds met andere mensen afsprak. Vrouwelijke mensen. Ik kon me voorstellen dat hij ook nog in de leerscene kwam. Dat accepteerde ik als een normaal onderdeel van zijn verwarde geest. Maar uitgaan met vrouwen? Naar bed gaan met vrouwen?

Paste ik eigenlijk wel in zijn leven? Kennelijk kon hij met iedereen naar bed, behalve met mij. Vrienden? Ik was de vriend met wie hij niet gezien wilde worden. Dus als we geen vrienden waren en we waren zeker weten geen geliefden, waarom pleegde ik dan nog hysterische telefoontjes naar hem op zaterdagochtend, nog voor het ontbijt?

"Laat maar," zei ik. "Verkeerd nummer."

"Adrien! Waar –"

Voorzichtig legde ik de hoorn neer. Ik gooide hem niet op de haak, tenslotte was ik volwassen. En wat ik nu ook voelde was míjn probleem, niet dat van Jake. Toch stak het me.

Ik wankelde de voorste kamer binnen en liet me vallen op de eerste de beste stoel. Na een paar minuten was mijn ademhaling weer normaal en merkte ik hoe stil het was. Veel te stil. Ik stond op, zette de cd-speler aan en staarde uit het raam.

Er is een zin in *Titus Andronicus* over "het smachtende verlangen van het hart". Het was overigens niet zo dat ik het niet begreep. En het is ook niet zo dat ik niet van vrouwen hou. Sommige van mijn beste vrienden zijn vrouwen. Vrouwen intrigeren me met hun breekbare, kleine botten en hun onderlinge solidariteit. Ik vind hun make-upsetjes leuk, hun machiavellistische manier van redeneren en hun buitengewone kennis van levensmiddelen en aardrijkskunde. Ik zou alleen niet willen dat mijn zoon met een vrouw trouwde. Oké, misschien wel mijn zoon, maar niet mijn vriendje.

De galm van voetstappen in de nacht is niet half zo angstaanjagend als het vooruitzicht alleen en eenzaam te zijn.

Het was zo een van die ironische momenten in het leven toen de cd op het volgende liedje sprong en *"Con Te Partirò"* uit de boxen klonk. Tijd om te gaan.

3

Mijn eerste ingeving was om hulp roepen. Omdat dat geen goed idee leek, dacht ik na over andere manieren om mijn toenemende problemen op te lossen.

Het leed geen twijfel dat iedere normale burger meteen sheriff Billingsly en zijn tabakspugende partner erbij zouden halen. Maar mijn ervaring met de plaatselijke arm der wet had me doordrongen van hun ontzagwekkende gebrek aan verbeelding. Ik begon me horrorverhalen te herinneren over onschuldige landeigenaren wiens bezittingen in beslag waren genomen dankzij drugs dealende pachters en gasten.

Aan de andere kant kon ik niet negeren dat er wiet groeide op de noordelijke helling van mijn land. Dat was niet bepaald makkelijk te verbergen. Ik overwoog een gecontroleerde brand en zag al voor me hoe mijn vriendjes uit het bos stoned uit de bomen en de lucht zouden vallen. Uh-uh, zou mijn vroegere maatje Riordan gezegd hebben.

Ik had juridisch advies nodig, dus belde ik long-distance naar die beste meneer Gracen, de laatste nog levende partner van de vermaarde firma Hitchcock & Gracen. Omdat het zaterdag was, was mijn juridisch adviseur niet aanwezig. De antwoorddienst vroeg of het een noodgeval was. Ik zei dat ik dat niet zeker wist, liet mijn nummer achter en hervatte mijn rusteloze geijsbeer.

Na een paar mijl van op en neer lopen op de eiken vloer realiseerde ik me dat ik net zo in mijn maag zat met dat waaraan ik van mezelf niet mocht denken – Jake – als met de wietplanten. Aangezien ik op dit moment aan geen van beide iets kon doen, had het geen zin om me zorgen te maken. Dit vertelde ik mezelf meerdere keren.

Gedreven door het soort fascinatie dat mensen altijd naar rampplaatsen drijft, beklom ik opnieuw de heuvel en keek eens goed naar "de bloemen des velds" die mijn voormalige opzichter had geplant. Als Ted Harvey deze gewassen had neergezet, geloofde ik niet dat hij vrijwillig zou vertrekken. Dus, óf hij zou snel terugkomen, óf hij was inderdaad mijn "nu zie je me, nu zie je me niet"-lijk. Misschien ging het om een misgelopen drugsdeal? Maar dat gebeurde toch meestal ná de oogst?

Terwijl ik daar stond te piekeren merkte ik een witte rookpluim op, afkomstig uit de vallei aan de andere kant van de berg. Spaniard's Hollow. Ik was de plaatselijke legende vergeten – als ik ze al ooit had gekend – maar ik herinnerde me dat er op de steile rotsen boven de nauwe vallei rotstekeningen stonden, Indiaanse symbolen gegrift in de steen. Lang geleden, nog voor de stopplaats van de postkoets werd gebouwd, zelfs voor de komst van de mijnwerkers, hielden de Kuksu, een geheime Indiaanse gemeenschap, in deze heuvels religieuze bijeenkomsten. Diep in de bergen, in de donkere grotten, verborgen in de bergruggen en spleten.

Natuurlijk was ik nieuwsgierig. Vooral omdat Spaniard's Hollow nog steeds deel uitmaakte van Pine Shadow en geen kampeerterrein was.

Ik liep de ongelijkmatige helling af, me een weg banend tussen de bomen door. Het was nog een hele klim voor een kerel wiens dagelijkse lichaamsbeweging slechts uit trappenlopen bestaat. Terwijl ik de heuvel afdaalde, ontdekte ik de toppen van opgezette tenten en de topaasblauwe glinstering van het Senex-meer. Aan de rand van het kamp kon ik een paar terreinwagens en een groene pick-up onderscheiden. Niemand leek het de moeite te vinden om alles verborgen te houden.

Achter mij kraakte een tak en ik draaide me abrupt om.

"Sta onmiddellijk stil!" beval een vrouwenstem.

Halverwege mijn draai gleed ik een paar centimeter uit op de naalden van de pijnbomen en de modder.

"Staan blijven!" gilde ze.

Ik zag donker haar, een bril en een paarse IJslandse trui. Het

was een klein vrouwtje, maar ze had een groot geweer vast.
“Dat probeer ik,” antwoordde ik.
“Doe je handen omhoog.”
Ik stak mijn handen in de lucht, gleed weer uit en greep naar de laaghangende tak van een den.
Er klonk een luide explosie en iets scheurde door de takken boven mijn hoofd. Splinters en stukjes den vlogen alle kanten op.
“Oeps!” schreeuwde het meisje.
“Jezus!” gilde ik, wegduikend achter de veel te dunne boomstam. “Ben je gék?”
“Hij ging zomaar af.”
Vanuit het kamp beneden klonken gealarmeerde geluiden en verschillende mensen in flanellen hemden dromden de heuvel op, naar ons toe. Hun stemmen echoden tegen de helling.
“Amy? Amy? Waar ben je?”
“Hier!” gilde Amy. Ze zwaaide vervaarlijk met het geweer in mijn richting.
Een lange, magere bebrilde man van middelbare leeftijd en een jonge, goed uitziende jongeman in jeans en een camouflagejas waren het eerst bij ons.
Ik kwam achter de boom vandaan. “Wat is hier verdomme–”
Ik kreeg de kans niet mijn zin af te maken voor de jongeman me vastgreep en met mijn gezicht tegen de grond duwde in de droge pijnboomnaalden. Hij deed dit zo doelbewust en snel, dat ik sprakeloos was.
“Alles oké, Amy?” vroeg hij, mijn protesten negerend.
“Wat is er gebeurd?” vroeg de oudere man. Hij probeerde zichzelf verstaanbaar te maken boven de heersende verwarring.
“Ik vond hem hier op verboden terrein,” lichtte Amy hen opgewonden in. “Het geweer ging per ongeluk af.”
“Gewéér? Welk geweer?” riep de oudere man. De eigenaar van de knie in mijn rug herhaalde dat verbijsterd. Zijn greep verslapte even.
Ik wurmde me los, rolde om en ging zitten, vloekend en boom-

schors uitspugend.

“Verboden terrein?! Dit is mijn eigendom. Wie zijn jullie verdomme eigenlijk, maniakken?”

De oudere man maakte vergeefse sussende bewegingen. Amy richtte het pistool opnieuw op mij, maar de jongere man rukte het uit haar handen. Hij deed me vaag denken aan Riordan, met zijn blonde en sportieve uiterlijk.

“Hé!” protesteerde Amy.

“Van hetzelfde,” zei hij terug. “Je weet dat je dat niet op zak mag hebben.”

‘Op zak hebben?’ Praatten de schoolkinderen tegenwoordig zo? Waren wapens zo normaal op het schoolterrein?

O ja, ik zag ze meteen aan voor academici, ondanks de ijzerwaren; met als mogelijke uitzondering de jongere man die me efficiënt had getackeld.

Zijn blik kruiste de mijne. Zijn groene ogen keken verontschuldigend. Ik geloof niet bepaald in de *gaydar,* maar toen we elkaar aankeken, ging er meteen een gevoel van herkenning door me heen, alsof het licht aanging.

De oudere man vroeg net wie ik was, toen we gezelschap kregen van nog twee veldwerkers: een vrouw van middelbare leeftijd die een rode bandana droeg en een knappe grijsharige man die eruitzag alsof hij zo op safari kon.

“Mijn naam is English,” beet ik hem toe. “Ik ben de eigenaar van dit land. Wie ben jij?”

“Professor Philip Marquez. Dit is Amy –”

“Professor Lawrence Shoup.” De kerel met de safarihoed interrumpeerde met zo’n typisch hooghartig Engels accent.

Geen van beiden staken we onze hand uit terwijl we elkaar van kop tot teen opnamen. Hij was wel enigszins in het voordeel aangezien ik nog steeds op mijn kont zat.

Toen de impasse aanhield, zei de vrouw met de bandana: “Maar als u meneer English bent, heeft u ons toestemming gegeven om hier te graven.”

"Toestemming om te graven? Wie zíjn jullie eigenlijk?" Ik wilde opstaan en de blonde knul hielp me een handje. We lieten elkaar snel weer los.

"Professor Philip Marquez," begon Marquez weer geduldig. Hij werd meteen onderbroken door 'Stewart Granger'.

"Ík heb de leiding over deze expeditie," kondigde Shoup aan, "omdat professor Livingston afwezig is. Professor Livingston, de supervisor op deze locatie, is degene die u schreef."

"Mij schreef? Waarover?" Ik zweeg even om mijn kleren af te kloppen. Pijnboomnaalden in mijn laarzen. Pijnboomhars in mijn haar. Ik had nu al een hekel aan deze mensen, wie ze ook waren.

Professor Shoup fronste zijn wenkbrauwen. "Betreffende de opgraving. De *site*. We doen een poging de oorspronkelijke plek van de Red Rover-goudmijn te reconstrueren."

Toen ik hem ongelovig aankeek, zei hij geprikkeld: "Misschien bent u het vergeten? Ik verzeker u dat de juiste formulieren zijn ingevuld en bezorgd zijn aan het Departement van Parken en Recreatie."

"Dit is privé-eigendom, geen staatsgrond."

"We... dat is, nou..." Ik kon zien dat hij niet gewend was te worden tegengesproken.

"Kan ik die formulieren, of wat het ook zijn, zien?"

"Ze zijn op de universiteit."

"Welke universiteit?"

"Hij bedoelt de lokale JC," zei de blonde droog. "Tuolomne College."

"Ja, inderdaad," zei Shoup alsof hij daarmee een punt scoorde.

"Ze zouden bij de papieren van professor Livingston kunnen zitten," zei Amy, de schietgrage dame.

"Professor Livingston heeft zijn koffer meegenomen," zei de vrouw van middelbare leeftijd.

"Laten we hierover verder praten in het kamp, oké?" opperde Shoup.

Op de basis werd me een vouwstoel aangeboden, samen met een kop chicoreikoffie en kreeg ik een soort van verklaring van Kevin, de blonde student, terwijl Bernice, Marquez en Amy de papieren van de supervisor zochten om te bewijzen dat ik toestemming had gegeven om te graven. De hele heuvelrug zat al vol met testgeulen.

"Ik denk dat we allemaal een beetje gespannen zijn," excuseerde Kevin zich. "Er zijn de laatste tijd een paar rare dingen gebeurd."

"Je zegt het."

"Laten we meneer English niet vervelen met onze problemen, O'Reilly," kwam professor Shoup tussenbeide.

Dat maakte me natuurlijk nieuwsgierig. "Wat voor rare dingen zijn er gebeurd?"

Kevin en Shoup wisselden zo'n vlugge blik uit die mensen gebruiken als ze er niet zeker van zijn of hun verhalen wel overeen zullen komen.

Kevin zei: "Geluiden en zo."

"Coyotes," zei professor. Shoup.

Waar ze coyotes al niet voor lieten opdraaien in deze streek.

"Kwajongensstreken waarschijnlijk," voegde Shoup eraan toe.

"Mijn hond is vermoord," zei Kevin.

"Dat waren zeker coyotes, O'Reilly."

Kevin leek niet overtuigd.

"Wat voor hond?" vroeg ik. Niet dat dat ter zake deed, ik vroeg het me gewoon af.

"Een bordercollie. Hij was jong, gezond en hij had wel eens eerder gevochten. Maar ik heb nog nooit gezien dat coyotes een hond zoiets aandoen."

"Wat aandoen?"

"Hem in stukken scheuren."

Shoup maakte een geërgerd gebaar.

Kevin zei: "Oké, en het zingen dan?"

"Zingen?"

"Boerenpummels uit de buurt," was Shoup van mening. Met zo'n houding maakte hij zich vast erg geliefd in deze negorij.

Op dat moment kwamen Marquez en zijn makkers triomfantelijk terug, zwaaiend met een vel papier.

"Ik wist dat ik het gezien had," deelde Bernice mee.

Ik nam de brief aan en bestudeerde die. Op een fotokopie van mijn briefhoofd, had iemand getypt dat voor de som van $50 per week het Departement Archeologie van het Tuolumne Junior College de toestemming had om te graven naar de Red Rover-goudmijn. Er waren geen voorwaarden en geen beperkingen.

"Ik heb dit nooit geschreven. Dat is mijn handtekening niet." Het was mijn handtekening niet, maar het leek op een ruwe overtrek. Ik bekeek nauwkeurig de datum.

"Dit is a-absurd," stotterde professor Shoup in de stilte die op mijn woorden volgde.

"Mee eens."

"Uw naam staat erop," informeerde Amy me.

"Dat zie ik."

"Dit klopt niet," zei professor Marquez, terwijl hij krabde aan een rode vlek in zijn hals die op een indrukwekkende zuigzoen leek. "Lawrence?"

"Lawrence" bleek professor Shoup te zijn, die geen tijd verloor en meteen in de aanval ging. "Wat probeer je hier precies mee te bereiken, jongeman?" zei hij tegen mij.

"Wat probeert jouw beste professor Livingston hiermee te bereiken," reageerde ik geërgerd. Ik had een rotdag gehad en het feit dat ik beschoten was en in een houdgreep genomen, had mijn humeur bepaald geen goed gedaan. Het vrouwvolk hield verschrikt de adem in alsof ik Louis Leakey had beschuldigd zout op de fossielen te gooien.

"Begrijpt u wat u suggereert, meneer?"

"Er is waarschijnlijk een eenvoudige verklaring voor," kwam Kevin tussenbeide.

"Inderdaad. Het is een vervalsing."

Ze staarden naar me – of keken dreigend – en ik kon zien dat het bij een paar van hen door het hoofd ging dat ze Amy beter haar gang hadden laten gaan, en me hadden laten neerschieten tussen de bomen.

Dat herinnerde me aan de man die was neergeschoten. Was deze cowgirl misschien te roekeloos geweest tijdens haar wachtronde en dekten de anderen haar in?

Oké, het was niet veel, maar ik had wel een dode man gezien midden op mijn oprit en een uur later was hij spoorloos verdwenen. Wie had hem neergeschoten? Waarom? En wat was er met zijn lichaam gebeurd? Deze lui waren mijn dichtstbijzijnde buren.

"Ik heb deze brief nooit gekregen," zei ik. "Ik heb zeker weten nooit dit antwoord geschreven. Kijk, ze hebben 'vergeoding' verkeerd gespeld." Alsof dat een sluitend bewijs was.

"Wie dan?" Kevin O'Reilly keek schaapachtig zodra de woorden uit zijn mond kwamen.

"Het lijkt erop dat iemand een kopie heeft gemaakt van een brief die ik ze gestuurd heb, dat ze vervolgens hun eigen boodschap in het lege vlak getypt hebben en vervolgens mijn handtekening hebben nagemaakt."

"Wie?" vroegen Amy en Bernice, die het nog steeds niet helemaal begrepen.

"Waarom?" zeiden Marquez en Kevin in koor.

Ik voelde me alsof ik in een aflevering van *Scooby-Doo* was beland.

"Ik weet het niet. Iemand die 50 dollar per week wilde verdienen." Ik kon ook wel raden wie toen ik me herinnerde dat ik in februari een cheque had gestuurd naar mijn legendarische toezichthouder, Ted Harvey.

"U zal wel proberen onder uw belofte uit te komen," zei professor Shoup.

"Ik probeer nergens onderuit te komen. Ik weet alleen niet of ik wil dat jullie hier gaten graven tot ik meer weet over jullie kleine onderneming."

"Kleine onderneming?" herhaalde de vrouw met de rode

bandana verontwaardigd. Het boek *Hoe maak ik vrienden en goede relaties* was echt voor mij geschreven.

"Als professor Livingston terugkomt, zal hij dit oplossen," snoof Amy. De rest leek daar minder zeker van te zijn.

"Ik zal contact opnemen met de juridische afdeling van de universiteit," beloofde Shoup me plechtig.

Ik dacht aan de goede oude meneer Gracen, onze familieadvocaat, die de voorbije zestig jaar testamenten had geschreven en herschreven voor cliënten die nog ouder en gebrekkiger waren dan hemzelf. Ik probeerde me voor te stellen hoe hij de strijd aanbond met advocaten die echt procedeerden voor hun brood. Ik hoopte dat de stress hem niet teveel zou worden.

Ik zei: "Prima. Misschien kunnen jullie je papieren op orde brengen zodat ik een idee krijg van wat jullie hier proberen te doen."

"Tot stand brengen" had tactvoller geklonken, realiseerde ik me toen ik ze hoorde snuiven en mompelen.

Onze ontmoeting liep ten einde. Vol wantrouwen en achterdocht keken ze hoe ik de heuvel weer opliep, vergezeld door Kevin O'Reilly, die zich schijnbaar niet prettig voelde in de rol van uitsmijter.

Op de top van de heuvel zei Kevin: "Eh... sorry voor dit alles."

"Het spijt mij ook." Ik had mezelf nooit gezien als iemand die het studiegenot van anderen in de weg zou staan. "Het kan nog steeds goedkomen, maar ik heb een duidelijk beeld nodig van jullie onderneming. Ik heb nog nooit van de Red Rover-mijn gehoord." (Het was logischer geweest als ze de Indiaanse grotten hadden onderzocht – niet dat ik het daar wel mee eens was geweest.)

"Ik denk dat professor Shoup u tegen de haren in heeft gestreken. Dat doet hij bij iedereen, maar hij is dé man."

"Dat hoef je me niet te vertellen." Het was een onuitstaanbare zak, zoveel was zeker.

"Ik bedoel, hij heeft de diploma's. Hij studeerde aan Oxford. Hij werkte in het British Museum. Hij is lid van iedere organisatie die je maar kan bedenken: de *Society of Historical Archeology*, de *National Science Foundation*. Hij schrijft voor *National Geographic*."

Uhuh.

"Hoe dan ook, Livingston heeft hier de leiding. Hij is cool, dat zul je zien."

Het kinderlijke enthousiasme was best schattig. "Natuurlijk."

Kevin aarzelde. "Dus – waarschijnlijk was jij dat gisteren die die opera ten gehore bracht."

Muzak galmde tussen de heuvels.

"Ik dacht dat ik hier alleen was."

Hij lachte naar me op een rustige, begrijpende manier en ik zei idioot: "Mijn paringsroep."

"Ja?"

"Nee."

We lachten allebei en ik sjokte aan mijn kant van de berg weer naar beneden.

De rest van de dag gebeurde er niets en deed ik niets. Na de lunch werd ik fanatiek en spoorde ik de ganzenveren matrassen op, die in plastic gerold bewaard werden op zolder. Na een gevecht waarbij het matras me bijna van de trap naar beneden gooide, sleepte ik het bobbelige geval de slaapkamer in, die van mij was geweest toen ik een kind was. Ik mocht dan wel de baas zijn in dit huis, toch voelde ik me er niet klaar voor om de slaapkamer van mijn grootmoeder in gebruik te nemen. Ik voelde me hier nog steeds een gast.

De kamer op de begane grond bood een prachtig uitzicht op de besneeuwde bergen in de verte. Ik maakte het hemelbed op en besteedde de daaropvolgende uren aan het verwijderen van vogelnesten uit de schoorsteenpijp. Niet dat ik dat per se moest doen, want ik was tenslotte hierheen gekomen om te schrijven en ik had mijn laptop nog geen moment open gehad.

Toen ik uitgespeeld was met dweil en desinfecteermiddel, begon ik de boeken in de dozen te inventariseren. Ik was urenlang zoet met het maken van lijsten van de jaren van uitgave en de druknummers, en toen ontdekte ik dat Zenith Ford Brown, alias Leslie Ford, een tweede, mannelijke pseudoniem had gehad. Onder de *nom de plume* David Frome had ze een tiental detectives geschreven over een schriele detective, genaamd meneer Pinkerton, die met de hulp van een potige inspecteur van Scotland Yard allerlei moordzaken oploste. Vergelijkingen waren onvermijdelijk en ontmoedigend.

Toen ik het beu was legde ik *Mr. Pinkerton Finds a Body* aan de kant en zette eindelijk de laptop aan.

Nadat ik weer een hele tijd een eind weg had getypt, kwam ik tot de conclusie dat de verandering van decor mijn meesterwerk er niet beter op had gemaakt. Ik begon me af te vragen of er iets was dat dat wel kon.

De degen rolde dronken over de grond, het handvat stootte tegen Jasons teen.

"Raap op," commandeerde Lucius.

"Raap zelf op."

"Jezus Jason, je kunt beter dan dat," mopperde ik.

"*Weet je zeker dat je dit wil doen?*" typte ik.

Was ik zeker? Absoluut niet. Misschien had ik een citaat van de meesterdichter nodig? Ik reikte naar mijn exemplaar van *Titus Andronicus.*

Huh?

Mijn *Titus* lag nog in LA. Ik liet dit even tot me doordringen, besloot toen dat het waarschijnlijk niét mijn laatste strohalm was en richtte me weer op het smeden van woorden.

Tot een uur of halfelf ploeterde ik door, met als enige resultaat een muisarm.

Toen ik even stopte om uit te blazen, kwam ik in de keuken terecht. Ik schonk mezelf net een glas Merlot in, afkomstig van de lokale wijnmakerij, toen ik zag dat er weer licht brandde in de caravan van Ted Harvey.

Was de verloren zoon teruggekomen? Ik greep mijn jas en snelde naar de caravan. Toen ik halfweg was ging het licht weer uit. Bij het schaarse maanlicht keek ik op mijn horloge: kwart voor twaalf.

Te laat voor een gezelligheidsbezoek, maar ik was de sociale conventies voorbij.

Bij de caravan gekomen, bonsde ik op de deur.

Er gebeurde niets.

Ik klopte nog eens en probeerde de deurknop. De deur ging open, het scharnier protesteerde luid.

Vaag zag ik boven mijn hoofd iets bewegen en toen was er opeens een explosie van pijn in mijn hoofd.

Alles werd zwart.

4

Ik opende mijn ogen.

Vaag wit… plafond. Ik draaide mijn hoofd om. Vergissing. Opende mijn ogen nog eens. Er stond iets wazigs naast me. Ik concentreerde me. Een soort standaard met een infuus.

Ik lag in een smal ziekenhuisbed met spijlen. Elektroden zaten op mijn borst geplakt en een infuus stak in mijn arm. Geen goed begin van de dag (of nacht, het gedimde licht in aanmerking genomen). Wakker worden in een ziekenhuis staat bovenaan mijn lijst van geheime angsten. Voor ik me daar echter druk over kon maken, begon het weer te dreunen in mijn hoofd. Ik deed alsof ik dood was en hoopte dat de pijn me zou vergeten en weg zou trekken.

"Wat is er verdomme gebeurd?"

Ik dacht dat ik tegen mezelf klaagde, maar blijkbaar had ik hardop gemompeld, want een bekende stem aan mijn linkerkant zei: "Dat is origineler dan 'waar ben ik?'"

Heel, heel voorzichtig draaide ik mijn hoofd om. De groene lijn op de hartmonitor maakte een sprongetje toen ik rechercheur Jake Riordan met zijn lynx-achtige ogen herkende.

"Wat doe jij hier?" Volgens mij klonk ik eerder geërgerd dan blij. Ik veronderstelde dat hij een hallucinatie was; hij was in ieder geval geen gevolg van mijn medicijnen tegen de pijn, want ik kreeg nog niet eens genoeg om de kloppende drums achter mijn ogen te laten stoppen.

"De politie vroeg zich af waarom jij het kaartje van een rechercheur van moordzaken in je portemonnee had. Ze belden mij."

"Oh." Was dat het antwoord op mijn vraag?

Hij had mooie ogen, Riordan. Hazelnootkleurig met lange donkere wimpers, bijna schattig, hoewel er niets schattigs is aan zo'n grote vent. Hij bekeek me met die mooie ogen en zijn mond vertrok aarzelend. Hij schudde zijn hoofd, waarschijnlijk om de staat waarin ik verkeerde.

Ik likte mijn lippen. De smaak in mijn mond was walgelijk.

"Wie heeft me een dreun gegeven?"

"Geen idee. Je belde zelf."

"Ik… wat?"

"Je heb jezelf bijeengeraapt, bent naar binnen gestrompeld en hebt het noodnummer gedraaid voor je opnieuw het bewustzijn verloor."

"Echt niet." Mijn ogen vielen dicht. Met enige moeite trok ik ze weer open. "Dat zou ik me herinneren."

"Misschien heb je het op de automatische piloot gedaan."

"Dat kan niet." Ik dacht dat me dat nu al niet zou lukken, laat staan een paar minuten nadat ik was neergeknuppeld.

"Schat, ik heb de band gehoord. Jij was het."

Ik dacht er moeizaam over na. "Hoe kun jij de band gehoord hebben?"

"De sheriffs lieten me meeluisteren, misschien dachten ze dat het je aanvaller was die om hulp belde."

Dit klonk verschrikkelijk verwarrend.

Riordan stond op en controleerde het infuus naast het bed. "Shit. Het is bijna leeg." Hij liep naar de deur en zei iets tegen iemand buiten.

Een dikke vrouw in een vaalgroen schort haastte zich naar binnen, boog zich over me heen en ging weer weg. Jake leek kwaad, maar ik had niet de energie om me daarmee bezig te houden.

Ik deed mijn ogen dicht.

"Er ís leven na de dood," merkte Jake op toen ik weer ontwaakte.

"Hallo."

"Ook hallo." Zijn ogen waren rood, alsof hij de hele nacht niet had geslapen. Hij leunde over de spijlen van het bed en ik had het vreemde gevoel dat hij mijn hand had vastgehouden – wat wel duidelijk maakte hoe verdoofd ik was. Toch voelde ik nog steeds de warmte van zijn vingers om de mijne.

Ik kneep mijn ogen tot spleetjes en probeerde me te concentreren. "Waar hadden we het over?"

"Wanneer?"

"Hiervoor."

"We discussieerden erover hoe het je gelukt is je te laten neerslaan door iemand die de caravan van Ted Harvey doorzocht."

Met mijn vrije hand wreef ik in mijn ogen. Het kostte me moeite om te focussen. "Hoe weet jij dat iemand de caravan doorzocht?"

"Schat, je vertelde het zelf toen je je beroemde telefoontje naar 9-1-1 pleegde." Hij zag eruit alsof hij probeerde niet te lachen bij de herinnering.

"Beroemd?"

Jake knikte. "Ze hadden het erover bij Granny Parker's Pantry toen ik daar vanmorgen ontbeet."

Ontbijt? Hoe laat was het nu?

Ik probeerde mijn hoofd op te tillen. Dat was een heel slecht idee. Ik zakte vloekend terug en slaagde erin te zeggen: "Hoe lang ben ik hier al? En waar ben ik eigenlijk?"

"Bijna achtenveertig uur. Je bent in het Calavares County ziekenhuis waar je rekening al behoorlijk begint op te lopen. Ik hoop dat je goed verzekerd bent."

Dat hoopte ik ook. Ik kende welgestelde mensen met lucratieve banen die failliet waren gegaan door een verblijf in het ziekenhuis.

"Volgende vraag. Wanneer kan ik weg?"

Jake keek vaag. "Over een dag of twee. Ze willen je in de gaten houden."

Ik wist wat dat betekende.

"Gezien mijn verdwenen kleren, hebben ze al goed genoeg kunnen kijken."

Ik haat ziekenhuizen. Als ik sterf wil ik dat niet in een ziekenhuis doen. Ik voelde aan de infuusnaald, tilde mijn hoofd op en controleerde de technologie op mijn blote borst. Instant Panic: alleen water toevoegen.

"Ik wil met de dokter praten," flapte ik eruit. "Ik wil naar huis."

Jake legde zijn hand op mijn schouder. Het was of er een baksteen op mijn borst viel. Mijn hoofd viel terug op het sponzige kussen, de pijn maakte me duizelig.

"Rustig aan, schat." Hij streek met zijn duim langs mijn sleutelbeen. Ik was zo verbaasd dat ik niet meer kon bewegen. "Gewoon rustig blijven."

Het gevoel van zijn kalmerende duim op mijn gevoelige huid was een vreemde gewaarwording. Ik keek naar hem op alsof ik geraakt was door een verdovingspijl.

"Toen ze je binnenbrachten was je hart een beetje van slag. Het gaat nu alweer vierentwintig uur goed, dus ze zullen je wel snel ontslaan. Oké?"

Ik stemde zwakjes toe.

Jake maakte een vuist en gaf me een speelse rechtse tegen de punt van mijn kaak.

"Hebben ze Harvey gevonden?" vroeg ik even later. Eindelijk een samenhangende gedachte die opsteeg uit het moeras van fysieke ongemakken.

Jake antwoordde pas toen hij klaar was met zijn ogen druppelen. "Nee. Geen spoor van Harvey. Is hij degene die jou een dreun heeft gegeven?"

Ik probeerde eraan terug te denken. Mijn herinnering was vaag. "Ik zag niet wie me sloeg. Ik herinner me dat ik het huis uit liep naar de caravan. Dat is het laatste."

Hij fronste. "Waarom ging je naar buiten?"

"Ik zag licht branden. Ik dacht dat hij misschien terug was." Ik probeerde me nog meer voor de geest te halen. Het leek lang geleden. "De nacht ervoor sloop er iemand om het huis."

"Op zoek naar iets?"

"Ik denk het. Maar wat?"

"Naar Harvey?"

"Tenzij Harvey zelf om het huis sloop."

Jake overdacht dit even met zijn rechercheursgeest. "Wie was dan dat lijk op de weg donderdagnacht?"

Ik keek op. "Geloof jij me?"

"Ja, ik geloof je." Zijn handen rustten op de rand van het bed. "Waarom hing je zaterdag zomaar op? En waarom had je tegen die engerd op je werk niet gezegd waar je heen was?"

Dit bracht een aantal herinneringen terug die ik voor het gemak even vergeten was, zoals dat grietje waar hij mee in bed lag toen ik belde.

Stijfjes zei ik: "Ik kreeg de indruk dat je me... niet serieus nam."

Op de hartmonitor gingen een paar hartslagen voorbij. Jake had een vreemde uitdrukking op zijn gezicht.

"Ik neem je wel serieus."

Hadden we het hier nog over lijken op de weg?

Er kwam een verpleegster binnen en ze deed de gebruikelijke dingen met haar thermometer, bloeddrukmeter en klembord. Ik probeerde stoïcijns te blijven onder haar ijskoude handen.

"U voelt zich duidelijk beter," zei ze opgewekt. Ze leek te praten tegen Jake, die haar een jongensachtige grijns toewierp.

"Die antihistamines werken prima."

De verpleegster lachte kuiltjes in haar wangen.

Geïrriteerd vroeg ik: "Wanneer kan ik naar huis?"

"Oh, dat beslist de dokter."

Dat was duidelijk: "Dokter" als in "God".

"Wanneer komt hij?"

"Vanmiddag maakt hij zijn ronde," zei ze ontwijkend.

"Kunt u hem laten weten dat ik van plan ben vandaag te vertrekken? Of eigenlijk nu."

Jake bewoog ongedurig, maar de verpleegster lachte alleen maar om mijn grapje en liep naar buiten, een geur van ontsmettingsmiddel achterlatend.

De dokter humde en schraapte zijn keel en gaf het advies nog niet te vertrekken, voor hij uiteindelijk toch zijn toestemming gaf. Hij had het over een gecompliceerde hersenschudding, het gevaar van nieuw letsel aan de hersenen en de mogelijkheid dat zich nog andere symptomen zouden kunnen voordoen. Jake vouwde zijn armen voor zijn gespierde borst en keek geïnteresseerd toe hoe de dokter en ik het uitvochten. De dokter had de geneeskunde, de ervaring en de logica aan zijn kant; ik was geen partij voor hem. Wankel maar koppig pulkte ik aan de limoengroene ziekenhuisarmband en eiste een "Ontslag op eigen risico".

"We kunnen u niet gevangen houden," gaf de medicus toe na enige druk.

Ik gaf hem de genadeslag. "Mijn verzekering dekt het geen dag langer."

Sesam open u. Twee uur later keek ik hoe Jake nors met zijn stadsauto over de onbarmhartige zandweg reed die naar Pine Shadow leidde. We waren niet langer in het dorp gebleven dan nodig was om Jakes spullen op te halen in de Twain Harte Inn. Hij had niet veel bij zich, hij had op niet meer dan een kort bezoekje gerekend.

"Daar vond ik hem," zei ik toen we over het veerooster ratelden.

"Hier?" Jake liet de auto uitrollen.

De mosterdbloemen zweefden als een gele mist over de vallei, drijvend op de groene heuvels in de middagwind.

Ik reikte naar de handgreep van de deur en Jake zei: "Blijf zitten, Adrien. Ik weet hoe ik een plaats delict moet onderzoeken."

Ik gaf toe en keek door het raam hoe hij op zijn tenen door de bloemen liep. Hij liep een stukje verder, observeerde de omgeving en kwam toen terug. Aan de kant van de weg knielde hij neer, waar hij de struiken aan een nader onderzoek onderwierp.

Jake nieste hard, waardoor de blaadjes van de wilde bloemen in het rond dwarrelden, en stampte toen terug naar de auto.

"En?"

Hij haalde zijn schouders op en snoot zijn neus met een

enorme zakdoek. "Te lang geleden. De bosjes daar verderop zijn verpletterd, mogelijk door een auto of een pick-up die omdraaide. Het wil niet zeggen dat jouw lijk daarmee werd weggehaald." Hij liet de rem los.

"Jake," zei ik, "er is nog iets. Een team amateurarcheologen van de plaatselijke universiteit hebben hun kamp opgeslagen ergens aan het eind van mijn grond. Ze hebben een vervalste brief waarin staat dat ze toestemming hebben om te graven naar een verlaten mijnkamp."

"Wat bedoel je met 'vervalst'?"

Ik kreeg geen kans om te antwoorden, want toen we de voortuin in reden kreeg ik de zwart-witte pick-up van de sheriff in de gaten. Billingsly zelf stond op de veranda, met naast zich zijn trouwe hulpje.

"Wat is dat verdomme?" gromde Jake.

We remden af. Ik stapte uit, greep mezelf snel vast aan de deur om rechtop te blijven. Waar dit ook over ging, ik had er de energie niet voor.

De sheriff marcheerde de houten trap af. "English, je staat onder arrest," kondigde hij aan.

"Pardon?"

"Je hebt het gehoord."

Mijn hart werd volgepompt met adrenaline door mijn vecht-of-vlucht reactie. Omdat mijn normale reflex vluchten is, wist ik niet zeker waarom ik reageerde met een golf van bange agressie, maar ik deed het. Mijn handen balden zich tot vuisten en ik wierp me naar voren, maar ik werd tegengehouden door Jake.

"Ho," zei hij. Hij draaide zich om naar Billingsly en vroeg: "Wat is de aanklacht, sheriff?"

Billingsly zei vastberaden: "English heeft hier zo'n halve hectare vol wietplanten staan, op de heuvel achter zijn huis. Wat denk je van een aanklacht wegens het produceren van drugs met de intentie die te verkopen?"

"Ik ben hier vier dagen," zei ik. "Hoe moet dat me zijn gelukt?

Supermest?"

"Het is jouw eigendom, dus het zijn jouw drugs," zei Billingsly zonder enige emotie. "Maar als je vindt dat de aanklacht niet klopt, probeer deze dan eens: medeplichtigheid, samenzwering, bezit en productie van een verboden substantie – met de bedoeling te distribueren."

Dus... de aanklacht terugbrengen naar "verondersteld bezit" betekende wat? Minimaal vijf jaar? Het was zo onwerkelijk dat het heel even voelde alsof ik drugs had genómen.

De hulpsheriff had de handboeien al klaar.

Mijn stem versnelde, tegelijk met het pompen van het bloed tegen mijn slapen. "Jullie zouden eens moeten zoeken naar Ted Harvey, die kerel die ik kennelijk betaal om in de zon te zitten en de hele dag dope te roken. Het is duidelijk –" Mijn hart stotterde van angst en woede. Jake legde zijn hand waarschuwend op mijn arm – wat niet onopgemerkt bleef.

Jake zei: "Mag ik vragen hoe jullie jongens erbij komen om de heuvel achter het huis van meneer English te doorzoeken?"

"We hebben een huiszoekingsbevel," merkte Dwayne op.

Billingsly keek geërgerd. "We kregen een anonieme tip," zei hij.

"En dat vond je niet vreemd?" riep ik, Jakes gespannen hand op mijn arm negerend.

"Luister English, die cannabis staat daar. En ik merk dat je niet verbaasd bent dat te horen."

"Ik merk dat je meer geïnteresseerd lijkt in anonieme telefoontjes dan in het feit dat mij bijna de hersens werden ingeslagen op mijn eigen terrein. Waarom is dat? Eén telefoontje en je komt als de wiedeweerga hierheen, maar een eerlijke belastingbetaler ligt twee dagen in het ziekenhuis en je komt nooit opdagen om een verklaring af te nemen?"

Ja, ik verloor mijn zelfbeheersing. Blijkbaar vond Jake het tijd om in te grijpen.

Hij zei rustig: "Ik weet niet hoe jullie jongens dat hier doen, maar ik zou zeggen dat jullie je aan een aanklacht kunnen verwachten. English is amper uit het ziekenhuis."

"Ze hebben hem ontslagen. Als hij gezond genoeg is om het ziekenhuis te verlaten –"

Dwayne deed er nog een schepje bovenop. "Misschien zijn de smerissen in LA blind als het om drugs gaat en –"

"EN JULLIE MAKEN GEEN SCHIJN VAN KANS OM DIT VOOR DE RECHTER TE KRIJGEN," overrompelde Jake ze allebei luid.

Even was het stil na deze uitbarsting. De windmolen piepte rustig in de wind. Dat drukte wel zo ongeveer mijn gevoelens uit.

"Voordat de officier van justitie jullie lachend uit zijn kantoor smijt, zou ik even nadenken over de rechtszaak die English tegen jullie zal aanspannen," voegde Jake er kalm aan toe. "En dan bedoel ik jullie persoonlijk, is dat duidelijk? Er zal beslag op jullie loon, huizen en jullie auto's worden gelegd, misschien zelfs nog op jullie vrouwen en kinderen. Denk erover na. Als meneer English al lang weer terug naar LA is gegaan, zijn jullie nog aan het onderhandelen met zijn advocaten."

Hoewel ik deze verdedigingsrede en het beeld dat hij van me schilderde als een procederende gek niet bepaald apprecieerde, had het wel effect. Dat zag ik aan de manier waarop de hulpsheriff een stap van zijn baas vandaan zette. Billingsly's varkensoogjes knipperden alsof hij in gedachten zijn vuisten balde tegen mijn dure stadsadvocaten tegen wie hij het nooit kon winnen.

Een grote tumbleweed rolde voorbij terwijl wij afwachtten wat de sheriff ging doen.

Billingsly streek ongemakkelijk met zijn vinger over de witte streep in zijn baard.

Het zonlicht weerkaatste verblindend op het zand; ik moest mijn ogen dichtdoen tegen het licht. Jakes hand lag nog steeds stevig op mijn arm, maar nu voelde het meer als een geruststelling dan als een manier om me tegen te houden. Ik hield mezelf voor dat, als ze me zouden arresteren, Jake het wel zou regelen. Hij wist wel wat hij moest doen. Hij zou me binnen een paar uur weer vrij hebben. Geen reden tot paniek. Dit zei ik een paar keer tegen mezelf terwijl de achterkant van mijn hemd langzaam nat werd van het zweet.

"Laat me jullie een vriendelijk advies geven, jongens," zei Billingsly uiteindelijk. "Jullie maken de verkeerde mensen kwaad en jullie zullen te druk bezig zijn met het plannen van je begrafenis om je nog druk te maken over een rechtszaak."

"Gebruik nooit het woord 'duidelijk' tegen een provinciale agent," zei Jake terwijl we keken hoe de politiemacht van twee man wegreed in een wolk van uitlaatgassen en stof. "Laat staan drie keer in één adem."

"Bedankt voor de tip. Heb je nog een paar geheime handdrukken die je me kunt laten zien?" Ik draaide me om in de richting van het huis. Ik moest gaan zitten voordat ik zou instorten; de bovenkant van mijn schedel leek uit elkaar te barsten, terwijl een regen van zand en kiezelsteentjes op mijn hersenen viel.

Jake liep zwijgend achter me aan.

"Dus, hoe lang blijf je?" vroeg ik beleefd en probeerde de voordeur open te krijgen. Mijn handen trilden. Jake pakte de sleutels en deed de deur open.

"Alleen maar tot je fit genoeg bent om terug te rijden naar LA."

"Ik blijf hier."

"Wat bedoel je, je blijft hier? Je woont in Los Angeles, weet je nog?"

"Ik blijf hier tot ik heb uitgezocht wat hier verdomme aan de hand is!"

Jake zei niets.

Ik wist wat hij dacht: "Als ik nu wegga, komt er gegarandeerd een nachtelijke barbecue zodat ik zeker geen reden meer heb om terug te komen."

"Als je hier blijft word je misschien wakker middenin een nachtelijke barbecue."

"Ik waag het er op."

Jake snoof. "Stoere jongen, hè?"
"Oh ja, dat ben ik helemaal."
Hij keek me doordringend aan.
"Wees realistisch, stoere jongen. Je hebt een slechte pomp, gesnopen? Daarmee ben je automatisch gediskwalificeerd om mee te doen aan de Club der Dappere Jongens."
Waarom deze simpele uiteenzetting van feiten me zo pissig maakte, weet ik niet zeker. Helemaal omdat ik dit ook al tegen mezelf had gezegd.
"Niemand vraagt je te blijven." Die woorden waren effectiever geweest als mijn stem niet in de hoogte was geschoten en niet trilde van de stress.
"Dat heb ik gemerkt, ja."
Ik veegde mijn klamme voorhoofd af met mijn mouw en liet mezelf op de bank zakken. Kalmer zei ik: "Niemand heeft je gevraagd me te redden. Als je ervandoor wilt moet je je door mij niet laten tegenhouden."
Jakes lippen krulden op alsof hij dit wel leuk vond. "Dit is de dank die de cavalerie krijgt?"
"Wil je een grote, natte, lebberkus?" Ik begon tegen mijn voorhoofd te slaan, maar bedacht me weer. "O ja, daar doe jij niet aan."
Stilte.
"Oké," zei Jake eindelijk. "Wil je zeggen wat je dwars zit?"
"Dat heb ik gezegd."
Stilte.
"Ik ga even liggen. Je weet wel, even de ogen sluiten voordat de barbecue begint. Controleer even of we marshmallows hebben, wil je?"
Ik viel terug in de kussens, te afgepeigerd om ermee te kunnen zitten wat iemand, inclusief Jake, deed. De bank schoof een eindje weg, als een draaimolen. Ik sloot mijn ogen.
Ik voelde dat Jake in het midden van de kamer stond, een onthutste Kolossus van Rodos die perplex was.

Inderdaad, grote jongen, dacht ik. De keus is aan jou.

Ik was net aan het wegdrijven op de stroom van vredige vergetelheid toen ik hem hoorde mompelen: “Wie is dát nu weer?”

5

Ik ging rechtop zitten. Jake keek geïrriteerd, als een baby die uit zijn middagslaapje is gewekt.

"Wie is het?" vroeg ik, in mijn neusbrug knijpend.

Hij haalde zijn schouders op. "Een joch in een groene pick-up. Ik praat wel met hem. Doe jij maar rustig aan."

Ik drukte me omhoog van de bank. "Ik voel me prima." Het laatste wat ik wilde was dat Jake dacht dat ik vertroeteld moest worden.

"Je moet het zelf weten."

Ik ging naar buiten, naar de veranda, vergezeld door Jake. Kevin O'Reilly, de jonge archeoloog, klom uit zo'n gehavende groene boswachterstruck (maar dan zonder het logo).

"Hoihoi," riep hij, naar ons toe lopend.

Hoi hoi, inderdaad. Hij zag er leuk uit, daar was geen twijfel over.

"Hallo."

Kevin beklom de trap van de veranda, wierp een snelle blik op Jake, die daar stond met gekruiste armen alsof hij poseerde voor *Bodyguard Magazine*. "Ik hoorde dat er een ongeluk was gebeurd. Ik kwam langs om te kijken hoe het met je gaat."

"Ah. Oké."

Enigszins verlegen bood hij me een doos bonbons van wel een kilo aan. "Ik weet niet of je van chocola houdt."

Ik negeerde de misselijkmakende buiteling in mijn maag. "Wie houdt er niet van chocola?"

"Ik hou niet van chocola," zei Jake.

Kevin bekeek Jake van onder tot boven. Jake bekeek Kevin van onder tot boven.

"Dit is mijn vriend, Jake Riordan." Ik stelde Kevin voor: "Kevin is één van de archeologen waar ik je over vertelde."

"Kevin O'Reilly," zei Kevin en hij stak zijn hand uit.

Ze schudden elkaars hand. Tot mijn opluchting gingen ze niet over tot armworstelen. Het was grappig omdat Kevin een jongere versie van Jake leek. Ze hadden neven kunnen zijn. Dezelfde genen.

"Prettig kennis met u te maken – meneer," zei Kevin beleefd. Jakes ogen vernauwden zich tot spleetjes alsof hij het vermakelijk vond. Ik denk tenminste dat dat het was.

"Uhuh. Waar is precies jullie kamp, Kevin?"

Kevin wees naar de berg. "Het ligt daar achter die kleine berg. In Spaniard's Hollow."

"Op loopafstand?"

"Inderdaad."

"Kom binnen voor een kop koffie," nodigde ik hem uit.

"Nee, ik moet weer terug." Kevin keek vluchtig naar Jake die daar als een monoliet vlak naast mij stond. "Professor Shoup wilde je uitnodigen voor het eten. We kunnen je het terrein laten zien, je vragen beantwoorden. Misschien kunnen we het eens worden voordat er advocaten aan te pas komen."

"Tuurlijk. Wanneer?"

"Vanavond."

God, niet vanavond, kreunde ik binnensmonds. Dat was zo niet in de geest van het speurdersschap dat ik Grace Latham vreselijk teleurgesteld zou hebben. Het was dus een opluchting toen Jake me redde: "We hebben al plannen."

"Morgenavond?"

"Ja," zei ik met een snelle blik op Jake.

"Geweldig," zei Kevin. Hij lachte naar me, met zijn groene warme ogen. "Fijn te zien dat het weer goed met je gaat, Adrien."

"Dank je."

Jake en en ik liepen weer naar binnen terwijl Kevin met een wijde boog achteruit draaide en wegreed.

"Dat was aardig van hem," zei ik.

Jake gromde.

"De anderen zien er meer uit als bollebozen. Dat zal je nog wel zien. Als je blijft." Ik gooide de doos bonbons op de dichtstbijzijnde stoel en liep voorzichtig tussen de her en der verspreide meubels door. Er was nog steeds iets vreemds met mijn ogen, na het felle licht van buiten leek het binnen zo donker als in een grot.

"Ja?" Jake klonk niet bijster geïnteresseerd. "Kun je hier ergens vissen?"

"Met of zonder sleeplijn?"

"Zonder." Hij sloot de deur met een lichte klap, wat mijn zenuwen op deed springen.

"Dat kan, denk ik. Ik weet niet hoe het met Lake Senex zit, maar de rivieren zitten vol met forel en baars."

Hadden we het nu echt over vissen? Kennelijk wel.

"Ik had mijn hengels mee moeten nemen," zei Jake tot mijn verrassing. "Ik denk dat ik er wel kan huren in het dorp als ik een visvergunning haal."

"Van plan te blijven?"

"Alleen maar tot jij bij je verstand komt."

"Ik ben gevleid dat je denkt dat dat mogelijk is."

"Ja, ach, het is een geluk dat ik veel vrije dagen heb."

Ik wankelde terug naar de bank en Jake vroeg: "Wil je lunchen?"

"Schoft." Kribbig voegde ik eraan toe: "Kun je de tamtams niet horen?"

"Nee. Wat zeggen die?"

"Blanke man heeft pijnstillers nodig."

"Ik dacht dat jij het type van het stille lijden was."

"Ík? Je houdt me duidelijk voor één van je leervriendjes."

Tijdens de geladen stilte die hierop volgde, hield ik mijn ogen gesloten.

Uiteindelijk zei Jake vriendelijk: "Aangezien je zo praatziek bent, kun je me misschien meer vertellen over die beschuldigingen van drugsbezit."

Ik wreef over mijn slapen en zei: "Het is een val. Ik denk dat Ted Harvey dat veld heeft aangeplant."

"Ted Harvey is je klusjesman?"
"Niet zo klusserig, blijkbaar."
"Wat is de regeling die je met hem hebt?"
Ik opende mijn ogen en zag verrassend genoeg een uitdrukking op Jakes gezicht die ik niet kende. Even kruisten onze blikken elkaar, toen keek hij gauw weg.
"Hij woont hier gratis," zei ik. "Ik betaal het gas en de elektriciteit en honderd dollar per maand. In ruil daarvoor houdt hij hier een oogje in het zeil. Hij wordt geacht reparaties te verrichten en moet ervoor zorgen dat er regelmatig iemand komt om de boel schoon te maken."
"Ben jij niet die jongen die altijd geld tekort komt?"
"Ja, en als ik mijn verstand gebruikte, zou ik dit land verkopen." Maar het was al meer dan een eeuw in het bezit van mijn familie. En zelf zou ik me nooit zoiets kunnen veroorloven.
"En jouw theorie is dat Harvey cannabis verbouwt en verkoopt op jouw grond?"
"Ik weet niet hoe het met verkopen zit, maar hij lijkt me een jongen met handelsgeest. Vermoedelijk was hij het die de brief aan het departement Archeologie van het Tuolumne College vervalste."
"Waarom?"
"Waarom hij hem heeft vervalst?"
Geduldig hield Jake me bij de les. "Waarom denk je dat het Harvey was?"
"Ten eerste is hij de enige persoon in een straal van vierhonderd mijl die aan mijn briefpapier en mijn handtekening kon komen. Ten tweede had de universiteit instructies gekregen om de cheques aan de Pine Shadow Ranch te richten."
"Aan de ranch?"
"Alsof het een zakelijk iets was, snap je? Ik wed dat Harvey die cheques zonder blikken of blozen heeft laten uitbetalen, want iedereen weet dat hij het onderhoud van de ranch doet."
"Maar je weet dit niet zeker?"

"Ik heb nog geen kans gehad het te controleren."

"Niet slecht," gaf Jake toe. "Op het platteland wordt met zulke dingen vaak nogal informeel omgegaan. Iedereen kent Harvey, weet dat hij voor jou werkt. Iemand heeft wellicht aangenomen dat jij hem toestemming hebt gegeven, dat zou een mogelijkheid kunnen zijn."

"Een beetje vervalsing, een beetje diefstal, een beetje bedrog. Ik vraag me af wat hem de kop heeft gekost – en waarom het lichaam is verplaatst."

"Nou, dát is dan weer een hele sprong."

"Toen ik de man die ik gezien had aan de sheriff beschreef, was de eerste naam die hij noemde Ted Harvey"

"Maar hij zou sowieso aan Harvey denken omdat die hier woont."

Dat was waar. Daar had ik nog niet aan gedacht.

"Maar Harvey is verdwenen."

"Wie zegt dat? Misschien is hij gewoon een paar dagen gaan vissen?"

"Zijn auto staat hier."

"Misschien is hij met vrienden weg. Of misschien houdt hij zich gewoon gedeisd. Hoe weet je dat híj het niet was die je neergeslagen heeft?"

"Waarom zou hij dat doen?"

"Misschien houdt hij niet van bezoek na tien uur? Misschien gaat hij om met types die minder beschaafd zijn dan jij?" Hij stond op. "Wat heb je hier te eten?"

Dat liet ik hem zelf uitzoeken terwijl ik achteroverleunde en mijn ogen sloot. Jake had gelijk. Ik had een recente foto van Harvey nodig. Onderzoek naar een misdrijf begint bij het slachtoffer. En op dit moment wisten we niet eens zeker wie ons slachtoffer was.

Een paar minuten lag ik te luisteren hoe Jake in de keuken rommelde en probeerde ik mezelf ervan te overtuigen dat ik me niet zo slecht voelde. Toen drong het opeens tot me door dat ik in mijn boeken zo'n hersenschudding altijd had onderschat. Jason

Leland werd regelmatig knock-out geslagen en een uur later was hij dan weer op de been om achter de boeven aan te gaan! De realiteit was anders: een afschuwelijke alles overtreffende hoofdpijn, wazig zicht, misselijkheid en vermorzelde nek- en schouderspieren. Maar in ieder geval deed die oude rikketik het nog.

Toen ik een paar uur later wakker werd was Jake buiten een stapel brandhout aan het maken. Ik stond een tijdje voor het raam zijn gespierde bruine borst te bewonderen terwijl hij als een echte vent zweette en hout hakte. Hij leek hier helemaal op zijn plek, bijl in de hand, zijn blonde haar glanzend als stofgoud in de zon.

Zo, met mijn ogen was in elk geval niets mis meer.

Toen ik naar de keuken slenterde trof ik daar een stoofschotel aan, sudderend op het vuur. Met een houten lepel nam ik een hapje. Jake had het eten blijkbaar opgeleukt met meerdere teentjes knoflook en de voorhistorische Tabasco uit de voorraadkast. Als iets een verstopte neus weer vrij kon maken dan was het dit recept wel.

Ik had net een bord vol geschept toen Jake binnen kwam lopen. Hij knoopte zijn hemd dicht.

"Je ziet er beter uit," stelde hij vast nadat hij me goed bekeken had.

"Ik voel me ook beter."

Hij waste zich bij de gootsteen en schepte daarna wat stoofschotel in een schaaltje. Nadat hij een biertje uit de koelkast had gepakt kwam hij tegenover me zitten.

"Je weet dat we ook iemand kunnen betalen om met de Bronco terug te rijden. Je kunt met mij terug naar LA gaan."

Ik legde mijn lepel neer. "Ik heb je al gezegd –"

"Ik weet wat je zei. Luister nou even naar mij."

Ik wachtte.

"Ik denk dat je hier ergens tegenaan gelopen bent. Ik heb Harveys caravan gecontroleerd terwijl jij sliep en ik ben er behoorlijk zeker van dat hij doorzocht is."

"Ik denk dat het er altijd zo uitziet."

"Lades die leeg uit de kast hangen, de kussens van de bank en het bed opengescheurd? De koelkast overhoop gehaald?"

"Nou... nee." Nee, dat was anders. Het verklaarde wat er gaande was geweest in Harveys caravan die nacht dat ik werd neergeslagen.

Jake keek me nadenkend aan. "Als Harvey dealt kan het zijn dat je middenin een plaatselijke drugsoorlog bent beland."

"Hiér? In dit godvergeten gat!?"

"Je maakt me bang als je zulke dingen zegt," zei hij ernstig.

Oké, het klonk inderdaad een beetje als "in óns dorp?".

"Goed, ik weet dat het drugsprobleem de buitenwijken heeft bereikt, maar dit vóélt niet als een misgelopen drugsdeal."

"Kom alsjeblieft niet aan met het woord intuïtie of ik geef je een lel. Vertelde jij me niet dat de gulden regel in misdaadromans is dat de detective de misdaad niet oplost door middel van intuïtie en/of een interventie van God?"

Jee, wie had ooit gedacht dat hij zo goed luisterde? "Dat is in boeken, Jake," protesteerde ik. "Ben jij niet die jongen die me vertelde dat het instinct van een agent zijn beste gereedschap is?"

"Jij bent geen agent, schat. Jij bent een boekverkoper. Je hebt geen greintje instinct. Jij hebt de gewoonte jezelf bijna te laten vermoorden."

Ik knipperde met mijn ogen. "Ik wist niet dat het je iets kon schelen."

Een tijdje bleef hij me aankijken. "Dat wist je wél."

"Wat kan me gebeuren als jij hier bent om me te beschermen?"

Jake maakte een geluid dat het midden hield tussen een grom en een lach waardoor de soep van zijn lepel over de tafel werd geblazen. Hoe kon je zo'n gozer weerstaan?

"Zeg niet dat ik je niet gewaarschuwd heb," zei hij.

Na het eten maakte Jake een vuur in de open haard en bij de

knapperende warmte dronken we koffie en aten bonbons. Voor iemand die niet van chocola hield, deed Jake erg zijn best. Hij liet ook zien hoe goed hij zijn vingers kon aflikken. Dat leidde me nogal af: het langzame glijden van zijn roze tong over zijn naakte vinger. Hij had grote handen, sterke handen, maar de vingers waren lang en gevoelig en ik bleef me afvragen hoe die handen op mijn lichaam zouden voelen.

Had hij ooit seks gehad met een man zonder het ritueel en rollenspel van SM? Hoe was hij in bed met een meisje?

"Cheers," zei ik. We tikten onze koffiebekers tegen elkaar aan. Ik wist niet zeker wat er in de zijne zat, maar ik had gewoon koffie. Een hersenschudding en alcohol gaan niet samen, hoewel mijn hoofdpijn nu voelde als de ergste kater van mijn leven.

Ondanks zijn twijfels leek Jake meer ontspannen dan ik hem ooit had gezien. Ik bedacht dat het moest komen doordat we helemaal alleen waren, zonder nieuwsgierige of veroordelende blikken.

"Hoe gaat het met je boek?" vroeg hij, met een knikje naar mijn opengeklapte laptop. "Hoe heet het, *Death for a Ducat?*"

"Verkeerd stuk. Je denkt aan *Hamlet*."

Jake snoof bij het idee dat hij aan zoiets zou denken.

"Het is gebaseerd op *Titus Andronicus*, het stuk dat zo slecht is dat Shakespeare-deskundigen al eeuwen proberen te bewijzen dat Shakespeare het niet geschreven heeft."

"Goede keus. Nou, vertel eens waar je boek over gaat."

Ik had hem al meerdere keren verteld waar mijn boek over ging, maar ik had toen al geweten dat hij niet echt luisterde. Ik vertelde de hoofdlijnen en Jake rolde met zijn ogen of schudde zijn hoofd, afhankelijk van hoe onrealistisch mijn gesmede complotten klonken.

"Is het niet de bedoeling dat je schrijft over wat je kent?"

"Wat ken ik dan? Ik ben een homoseksuele man van tweeëndertig met een slecht hart. Ik verkoop boeken voor mijn werk. Wie wil daarover lezen?"

"Klopt."

"Ik heb niet veel praktische ervaring met de misdaad."

"Nochtans schijn je die wel aan te trekken."

"Probeer me niet op te vrolijken."

Jake grinnikte zijn scheve grijns en wilde nog een chocolaatje pakken. "Het is vanuit het perspectief van een agent gezien wel verdacht."

Ik zette mijn koffiebeker op de houten vloer en rekte me uitgebreid uit. Ondanks de koffie was ik kapot. Dit was de langste tijd die ik ooit samen met Jake had doorgebracht. Eigenlijk wilde ik niet dat er een einde aan kwam.

"Hoe oud is dit huis eigenlijk?" wilde hij weten, terwijl hij omhoogkeek naar de enorme zwarte dakbalken.

Met enige moeite concentreerde ik me op hem. "Deze kamer maakte deel uit van de originele stopplaats van de postkoets. Ze werd in 1847 gebouwd. De rest van het gebouw is niet zo oud. In het begin van de negentiende eeuw is mijn overgrootvader met de ranch begonnen. Hij bouwde voort op het bestaande deel."

"Het is een leuk optrekje."

Ik knikte.

Grappig om te bedenken dat jouw familie hier in deze kamers heeft rondgelopen, heeft gezeten waar wij nu zitten."

"Hm." Niet iets waar ik echt aan dacht, maar ja. Ik was de laatste in de familielijn. Thuis in Pasadena leek dat onbelangrijk, maar hier voelde ik de geschiedenis, de generaties.

Jake leek verder te gaan met zijn gedachten. Hij keek naar de stapel boeken die ik keurig had verdeeld in paperbacks en hardcovers. "Dus dit is een soort werkvakantie voor je?"

Deze vraag kwam wellicht het dichtst in de buurt van interesse voor de reden van mijn vlucht uit de stad. Ik geef de voorkeur aan eerlijkheid, maar onze vriendschap lag nu zo gevoelig, dat ik niet zeker wist of ze mijn eerlijkheid zou overleven. Niet op dit moment.

"Ja, zoiets," antwoordde ik. "Het blijkt dat Granna een liefhebber van detectives was. Ze heeft een collectie van eerste edities die niet zouden misstaan in de Library of Congress." Ik vertelde hem over de spannende ontdekking dat mijn favoriete misdaadauteur een mannelijk pseudoniem had. "Mijn theorie is dat Rechercheur Bull en meneer Pinkerton homo's in de kast waren."

Het was maar een grapje, maar Jake zei geërgerd: "Kijk, dat is nou zo'n manier van denken die ik vreselijk vind. Nichten denken altijd dat al wie ooit iets betekend heeft eigenlijk homo was. Noem maar op: Michelangelo, Alexander Hamilton, Errol Flynn, Walt Whitman. Het is zielig."

Zijn boze minachting legde me het zwijgen op.

"Je houdt jezelf alleen maar voor de gek als je gelooft dat het normaal is om homo te zijn, of gewoon een manier van leven waar je voor kiest." Zijn ogen waren hard en glinsterden als stenen in de rivier.

"Ik denk niet dat het een keuze is. Voor mij in ieder geval niet."

Bitter zei hij: "En voor mij al helemaal niet."

Als het wel zo was, zou Jake er niet voor kiezen homo te zijn. Dat was niets nieuws.

Ik masseerde mijn nek in een poging de pijn in mijn gekneusde spieren te verminderen. Met een norse blik zat Jake in het haardvuur te staren. De vlammen wierpen schaduwen op zijn gezicht.

Een oude cowboywijsheid: graai nooit naar iets wat je niet wil grijpen.

"Ik ga naar bed," zei ik.

Geen antwoord.

Ik stond op en ging naar de slaapkamer, kleedde me uit en rolde me in mijn slaapzak, de zachte binnenkant was als een liefkozing voor mijn gepijnigde lichaam. Het oude veren matras voelde als een wolk onder mijn vermoeide botten. Een stoffige wolk, weliswaar. Ik zuchtte en schrok me rot toen ik Jake recht boven me hoorde praten.

"Draai je om. Ik zal je rug masseren."

"Eh–" Mijn stem had nooit meer zo geklonken sinds ik de baard in de keel had gekregen.

Ik draaide op mijn buik en Jake maakte de rits van mijn slaapzak open alsof hij iets zachts en kwetsbaars uit een schelp probeerde te pellen.

"Ontspan."

Ja hoor. Ik hapte naar adem en liet de lucht weer ontsnappen toen Jake zijn handpalm op mijn onderrug legde. Hij bewoog niet, sprak niet. Ik wachtte; het haar in mijn nek prikte. Er was iets onvoorspelbaars en gevaarlijks in de stille duisternis.

Er was veel wat ik niet wist of begreep van Jake.

"Stop met denken," zei hij zacht. "Laat het gaan. Durf te voelen."

Ik sloot mijn ogen en concentreerde me op het gewicht van zijn hand, de droge warmte van zijn huid, de lengte van zijn vingers. Harde handen. Eeltige vingertoppen. Maar de aanraking was aangenaam. Dat zoiets simpels als een rustende hand op je rug zo aangenaam kon zijn! De warmte van zijn hand leek mijn lichaam te overspoelen en verspreidde zich door mijn zenuwen en spieren. Ik kon zijn aanraking voelen tot in mijn geslacht, alsof hij mijn ballen omvatte.

Met de muis van zijn hand duwde hij tegen de onderkant van mijn ruggengraat, wreef heen en weer. Ik voelde hoe mijn rug langer werd, mijn heupen zich spreidden. Er zou niet veel voor nodig zijn om dit uit te laten draaien op iets anders, maar Jakes aanraking was niet erotisch. Hij begon mijn rug en schouders te kneden, langzaam, grondig, maar nog steeds voorzichtig, nog steeds... lief. Hij ging verder met mijn armen, over de hele lengte, en streelde zacht de binnenkant van mijn hand. Ik rilde. Binnen een paar minuten was ik helemaal ontspannen, me koesterend in die helende warmte.

Ik mompelde dat ik genoot. Hij maakte een zacht geluid dat een ingehouden lachje kon zijn.

Terwijl hij zijn ene hand weer bij mijn stuitje liet rusten, legde Jake zijn andere hand erboven en gleed omhoog langs mijn ruggengraat alsof hij zo de knopen eruit haalde, wervel voor wervel, tot de kussentjes van zijn vingers tegen mijn schedel aan drukten. Hij kneep vriendelijk achter in mijn nek en ik rilde nog eens.

"Beter?"

Ik knikte.

Jake herhaalde die voorzichtige beweging steeds opnieuw tot ik door de flanellen slaapzak heen smolt, het oude matras in. Ik voelde me als in een roes, slap en totaal ontspannen. Voor het eerst sinds ik terug was uit het ziekenhuis deed mijn hoofd geen pijn meer. Je hoort wel eens van de helende kracht van aanrakingen. Die voelde ik nu – en wel van de laatste persoon van wie ik het zou verwachten.

Ik kon me niet herinneren wanneer ik voor het laatst getrakteerd was op een rugmassage. Er was veel voor te zeggen om aangeraakt, gestreeld, aangehaald te worden.

Uiteindelijk bewogen Jakes handen niet meer.

"Welterusten," fluisterde hij.

"Trusten," mompelde ik half in slaap.

Meteen daarna verdween de slaap verschrikt omdat Jake me in mijn nek kuste en… verdween.

6

Afgaande op de kleine paddenstoelvormige rookwolk die de volgende dag boven de heuvel hing, waren sheriff Billingsly en de gemeente hun oorlog tegen drugs aan het voeren.

Jake stelde voor om in Basking te gaan ontbijten.

We kwamen terecht in Granny Parker's Pantry, waar we de grote eetzaal met zijn schaduwrijke uitzicht op de klassieke Amerikaanse hoofdstraat hadden.

We bestelden bij een lange dame in een zonnig geel uniform dat perfect bij het interieur paste.

"Als we gegeten hebben ga ik even wat rondvragen," zei Jake, zijn menukaart aan de kant schuivend. "Kun jij jezelf vermaken?"

"Wat ben je van plan? "

"Ik wil gewoon een paar dingen controleren."

"Zoals?"

Hij haalde zijn schouders op.

Toen ik niets zei, ging hij verder: "Eén man die her en der vragen stelt is genoeg. Twee trekt het verkeerde soort aandacht."

Ik nam aan dat ik blij moest zijn dat hij interesse toonde. En hij had ervaring op dit gebied, ik niet. Maar zijn veronderstelling dat ik aan de wandel zou gaan en mezelf wel zou vermaken met winkelen of de toerist uithangen irriteerde me.

De serveerster bracht ons ontbijt. Jake nam zoals gebruikelijk de hele santenkraam: een plak ham, vier eieren, brood met saus en een grote jus d'orange. Hij keek fronsend naar mijn kom met havermout.

"Dat is het? Is dat alles wat je eet?"

"In tegenstelling tot jou hoef ik al dat gewicht niet te torsen."

Onverwachts begon hij te blozen. "Dat zijn spieren, geen vet."

Ik twijfelde er niet aan. Wat ik tot nu toe van Jake had gezien was slechts een slanke lenige vechtmachine. Ik was verbaasd dat het gevoelig lag.

"Ik zei niet dat je dik was. Ik zei dat er veel van jou was."

Met een woeste blik keek hij zwijgend in zijn koffiebeker. Ik realiseerde me dat de serveerster ons gesprek gehoord had en tot in de vezels van haar haarnetje gechoqueerd was. Hebben heteromannen het nooit over hun gewicht? Was het de klank van onze stemmen? Of was ze gealarmeerd omdat ze ons herkend had als de beruchte drugdealers uit de stad die te pas en te onpas de politie belden? Wat het ook was, ik hoopte dat Jake het niet doorhad. Hij voelde zich zo op zijn gemak onder zijn zogenaamde deken der onzichtbaarheid. Ik wilde niet dat zijn tijdelijke vakantie van zijn echte leven verpest werd.

Bij mijn derde kop koffie verorberde Jake net zijn laatste spiegelei.

"Ik denk dat ik wel bij de bibliotheek langs kan gaan. Ik heb *Titus Andronicus* nodig. Mijn exemplaar ligt nog thuis."

Jake knikte, hij luisterde niet echt.

"Ik heb nagedacht," zei hij opeens terwijl hij zijn bord schoonveegde met brood, "over wie de sheriffs getipt kan hebben over de drugs."

"Het kan iedereen geweest zijn. Wandelaars."

"Waar hebben die archeologen hun kamp? Net over die kleine berg, toch?"

"Ja." Ik probeerde hem te volgen. "Elk van hen kan het spul opgemerkt hebben en de politie gebeld hebben. Maar waarom?

"Wraak? Je dreigt de stekker uit hun zandbak te trekken."

"Misschien." Ik dacht erover na. "Het zou wel behoorlijk rancuneus zijn voor een stelletje schervenzoekers." Maar waren het allemaal amateurs? Studenten waren niet per se amateurs. Professor Marquez en professor Shoup waren geen studenten en leken me ook geen amateurs. Zeker professor Shoup scheen een man te zijn die de dingen – en vooral zichzelf – serieus nam. "Misschien hebben ze een andere reden om de politie te bellen. Misschien willen ze me uit de weg hebben."

Jake keek gepijnigd. "'Uit de weg?' Adrien –"

"Nee, luister even, Jake ..." Hij luisterde nors. "Stel dat dat telefoontje bedoeld was om me bezig te houden met juridische dingen zodat ik geen tijd zou hebben om me druk te maken over wie wat waar zou opgraven."

"Huh?"

"Stel je voor, stel je even voor dat er – dat er – een stel bedriegers in Spaniard's Hollow zit?"

"Niets zeggen, laat me raden," zei Jake. "Ze graven naar verborgen schatten."

"Nou, dat weet ik niet."

Jakes wenkbrauwen schoten omhoog. "Dat wéét je niet? Dat is dan toch dat."

"Het is maar een theorie."

"Of het komt door die klap op je kop."

"Ja, maar daar gaat het toch ook om, niet? Wie heeft me op mijn hoofd geslagen, en waarom?"

"Ze probeerden je niet te vermoorden, dan hadden ze de klus wel geklaard."

"Niet vermoorden, me hier gewoon weg krijgen."

"Akkoord," zei Jake kordaat, "omdat je in de weg stond toen ze Ted Harveys caravan doorzochten. Dat heeft niets te maken met schatgravers in de bergen."

"Het zou kunnen."

Hij schoof zijn bord aan de kant. "Gisteravond had je het over het instinct van een agent. Mijn instinct zegt me dat deze twee dingen niets met elkaar te maken hebben."

"Laten we hopen dat het dan deze keer goed functioneert," merkte ik op. "Twee maanden geleden vertelde je instinct je nog dat ik een seriemoordenaar was."

Jakes ogen vernauwden zich tot spleetjes als bij een tijger die er genoeg van heeft om nog langer met zijn eten te spelen.

"Even terugspoelen." Hij tikte met zijn wijsvinger tegen zijn voorhoofd. "Ik dacht niet dat je een seriemoordenaar was. Ik dacht dat je niet alles vertelde wat je wist, wat ook klopte. Ik dacht dat je niet gestalkt werd."

"Wat niet klopte."

"Wat..." Hij haalde diep adem.

"Niet klopte," vulde ik aan.

"Niet klopte," gaf hij zich gewonnen.

Ik grijnsde. "Ik wilde het alleen even horen."

Na het ontbijt gingen Jake en ik ieder onze eigen weg en we spraken af dat we elkaar om twaalf uur bij de auto zouden treffen.

De echte reden waarom Jake niet wilde dat ik Watson speelde was wellicht dat hij zelf naar het kantoor van de sheriff wilde gaan, waar ik nog minder gewenst was dan hij. Dat kon ik wel begrijpen. Ik had mijn eigen hypothese en ik kon mijn eigen onderzoek doen in de bibliotheek.

De bibliotheek lag ingesloten tussen een koffiehuis en een veevoerwinkel. Het was het soort gebouw waar ik van houd, zoals ze niet meer gebouwd worden: verweerde stenen omlijst met prachtig stucwerk.

Volgens het koperen bord bij de voordeur was de bibliotheek van Basking gebouwd in 1923. Binnen was het donker en rustig. De antieke tafels, met liefde gepolijst over de deuken en krassen van jaren, glommen in het licht van groene bankierslampen. Plafondhoge boekenkasten waren volgestouwd met verbleekte boeken. Dit was mijn stek, zoals de ruwe straten van LA dat voor Jake waren.

Er was één computer, die in beslag werd genomen door een vechtlustige grijsaard, die de titels aan het invoeren was van detectives met een kat in de hoofdrol. Omdat ik wist dat dat wel een tijdje zou kunnen duren, liep ik rechtstreeks naar de bibliothecaris om te vragen naar boeken over de plaatselijke geschiedenis. Ze verwees me naar *Roughing It* van Mark Twain.

"Ik hoopte op iets over Basking zelf. De jaren van de goudkoorts, de geschiedenis van de mijnen. Misschien verborgen mijnen?"

Ze keek dommig maar veerde toen op. "De plaatselijke geschiedkundige vereniging heeft jaren geleden zoiets samengesteld. Waarschijnlijk kun je nog wel een exemplaar kopen bij het Royale House Museum. Dat is hier net om de hoek."

"Geweldig. Bedankt."

Door de manier waarop ze achter haar nepdiamanten brilmontuur met haar ogen knipperde vroeg ik me af of mijn reputatie me vooruitgesneld was. Met een geruststellende glimlach keek ik haar aan en haastte me naar de houten kaartcatalogus onder de tentoongestelde kunstwerken van patiënten uit het plaatselijke ziekenhuis – waarschijnlijk de psychiatrische afdeling.

Ik was er niet helemaal zeker van wat ik zocht. Ik wist dat er mijnen waren op Granna's land, dat was geen geheim, er waren in deze streek veel mijnen geweest. Van de Red Rover had ik echter nog nooit gehoord, noch van enige andere mijn die veel goud had opgeleverd. Het was logisch dat archeologen geïnteresseerd waren in oude goudmijnkampen. Maar waarom net dit kamp? De Sierra Nevada zat vol met verlaten mijnen en open groeves. In geen enkel boek of artikel vond ik een verwijzing naar de Red Rover-mijn.

Het liep al tegen lunchtijd. Ik liep naar het Royale House en kocht een exemplaar van hun *De geschiedenis van Basking.*

"U neemt de rondleiding niet?" vroeg het meisje achter de toonbank spottend. Ze was lang en slank met lang ravenzwart haar en prachtige donkere ogen. Deels Indiaans, dacht ik. Het Tuolumne Reservaat lag aan de andere kant van het naaldbomenbos en het Tule Reservaat bij Porterville was één van de grootsten van de staat.

"Welke rondleiding?"

"Voor drie dollar kunt u door het gebouw wandelen. Drie verhalen. Tel ze maar, drie." Ze wees naar een plank met Walkmans die blijkbaar de plaats hadden ingenomen van de ouderwetse gids. "Voor nog twee dollar extra kunt u genieten van een high tea op het terras."

Kleffe sandwiches met eiersalade en thee van theezakjes, als ik me de *high teas* van het geschiedkundig genootschap nog goed herinnerde.

"Wie waren de Royales?"

Ze citeerde: "In 1849 kwam Abraham Royale naar het westen om fortuin te maken in de goudvelden."

Ze pauzeerde om te kijken of ze mijn onverdeelde aandacht had. "Abe was niet echt een goede goudgraver; toch maakte hij zijn fortuin door de enige dochter van een rijke Chinese koopman te huwen. Helaas accepteerde de beau monde – zoals die toen was in Basking – de dochter van een Chinese koopman met spleetogen niet. Royale was een ambitieuze man. Hij verruilde zijn Chinese bruid, voor een plaatselijk meisje, maar hield de bruidsschat."

Iets zei me dat dit niet het officiële verhaal was. "Wat gebeurde er met de Chinese bruid?"

Ze lachte haar stralend witte tanden bloot. "Dat is niet bekend. Waarschijnlijk gestorven aan een gebroken hart zoals alle domme meisjes van haar tijd." Dat zei het meisje van deze tijd.

"Erg attent. Wat gebeurde er met Royale?"

"Ah. Dat is een ander verhaal. Royales Engelse bruidje met de gouden haren ging er een jaar na hun chique bruiloft vandoor met de smid."

"De smid?"

"De hoefsmid. Smid is een klassiek beroep, weet u. Een echt mannelijk vak."

Ze klonk boos, hoewel ik me niet kon voorstellen waarom. Ik vroeg: "Stierf Royale ook aan een gebroken hart?"

"Nee. Men zegt –" Ze liet haar stem dalen en ging op dramatische toon verder: "Hij stierf door de vloek."

"Vloek? Wat voor vloek? Vertel me nou niet dat de Chinese bruid met het gebroken hart hem vervloekt had. Welk aardig, welopgevoed meisje doet zoiets?"

Ze veegde een zijdeachtige lok zwart haar achter haar oor. "Om eerlijk te zijn, zijn er meerdere versies. Het enige wat we zeker weten is dat Royale daar van die trap viel en zijn nek brak."

Ik draaide me om zodat ik de prachtige, met ornamenten versierde trap kon bestuderen. Daar afvallen was ongeveer hetzelfde als van een rots tuimelen.

Met een knikje naar het enorme portret dat boven de marmeren open haard hing, vroeg ik: "Is dat Royale?"

"Inderdaad."

Met zijn drie meter was Royale erg indrukwekkend. Zwart haar, donkere ogen en een krullende snor. Een man die model stond voor heldhaftigheid.

"Volgens een van de legendes zag hij de geest van zijn eerste vrouw en viel hij daardoor van de trap."

"Spookt het in het gebouw?"

Ze haalde haar schouders op. "Ik heb niets gemerkt. Niet dat ik in geesten geloof."

Wow. Dat was niet erg typisch voor een Native American.

Alsof ze mijn gedachten kon lezen voegde ze er droogjes aan toe: "Vertel het maar niet aan de stamoudsten."

"Welke stam?"

"Miwok. Penutian familie. Je weet echt niet meer wie ik ben, hè?"

"Zou ik dat moeten weten?"

Haar wenkbrauwen gingen omhoog. "Ik dacht dat jij de kleinzoon van Anna English was?"

"Dat ben ik ook." Toen ze haar hand niet aanbood, stak ik haar de mijne toe.

We schudden elkaar de hand. "Melissa Smith. Mijn vader werkte voor jouw grootmoeder. Je hebt me ooit eens in de fruitkelder opgesloten."

"Ik?"

Nu begon me stilaan iets te dagen. Ze was toen klein, mager en vreselijk irritant. "Niet lang, hoop ik."

"Een paar minuten, geloof ik. Het leken wel uren."

"Sorry."

"Ik zwoer dat ik het je betaald zou zetten, maar je kwam nooit meer terug."

"Ik ben nogal makkelijk bang te maken."

"Maak je geen zorgen, je bent tegenwoordig geen prioriteit meer."

Als ze op haar tweeëndertigste net zo moeilijk was als toen ze acht was, hoopte ik dat ze geen wrok koesterde.

"Ik ben niet zo thuis in de plaatselijke geschiedenis."

Haar donkere ogen ontmoetten de mijne. Ze grijnsde. "Nee, maar je draagt er wel je steentje aan bij."

Ik moest even op Jake wachten bij de Bronco. Ik spoelde een paar tabletten tegen de hoofdpijn weg met frisdrank die ik uit een automaat verderop had gehaald. Opeens kreeg ik hem in het oog. Hij liep over de door bomen geflankeerde weg, in en uit de schaduw, groot en doelbewust. Zelfs in een flanellen hemd en jeans zag hij er nog uit als een agent. Misschien was het wel zijn manier van doen. Die combinatie van vertrouwen en alertheid.

Hij keek op en zag me, en heel even verscheen er iets als een glimlach op zijn uitdrukkingsloze gezicht.

Ik startte de motor toen Jake naast me kwam zitten.

"Hoe ging het?" vroeg ik. "Waren je smerisvriendjes in een meewerkende bui?"

Hij hmpf-te en trommelde met zijn vingers op de armsteun van de deur terwijl ik de rustige hoofdstraat opreed.

"Spelen we een spelletje of ga je me vertellen wat je hebt ontdekt?"

"De laatste keer dat Harvey gezien is, was donderdagochtend toen hij boodschappen deed in de plaatselijke supermarkt. Hij beloofde dat hij de volgende dag terug zou komen om de rekening te betalen."

"Maar hij werd donderdagnacht vermoord."

"Misschien." Hij wierp een blik op mij. "Harvey heeft een vriendin. Daar zou hij kunnen zitten."

"Een vriendin?"

Ik weet niet waarom ik zo verbaasd was; waarschijnlijk omdat hij door iedereen met wie ik gepraat had, afgeschilderd werd als een loser.

Jake zei: "De meeste ongetrouwde volwassen mannen hebben een vriendin, Adrien."

Onschuldig vroeg ik: "Jij ook dan?"

Jake wendde zijn blik af. Hij zei: "De vriendin kan een foto van Harvey of een andere aanwijzing hebben."

"Heeft Harvey geen politiedossier? Zijn er portretfoto's die ik kan bekijken?"

"Hij heeft een paar druggerelateerde arrestaties op zijn naam staan. Maar die zijn van de jaren zeventig. In die tijd had hij lang haar en een baard. Ik denk dat een glimp van dertig seconden van een dode man in het licht van je koplampen niet genoeg is om iemand accuraat te identificeren."

Daar had hij gelijk in. Mijn herinnering aan de man op de weg begon al te vervagen – mijn verbeelding voegde details toe en de verstreken tijd liet ze weer verdwijnen.

Ik trok op bij het enige verkeerslicht dat Baskings rijk was, en zei: "En waar woont die vriendin?"

Marnie Star woonde in nummer 109 op Oakridge Drive in een groen houten huis, bovenaan een lange gammele trap.

Hoewel het al middag was kwam Marnie de deur opendoen in een gestreepte badjas. Een grote vrouw, stevig gebouwd, taxeerde Jake door het gaas van de hordeur.

"Ja?"

"Marnie Starr?" Jakes houding, die officiële toon van zijn stem, verraadde dat hij een agent was. Ik vroeg me af of hij dat expres deed of dat hij er niets aan kon doen.

"Dat klopt."

"Ik ben rechercheur Riordan." Hij knikte in mijn richting. "English."

"Rechercheurs?" Ze staarde naar ons door de sigarettenrook

heen. Ze was zeker vijftig, had lang peper- en zoutkleurig haar en een sproetige huid die teveel zon had gezien.

"Mogen we even binnenkomen?" vroeg Jake.

Automatisch opende ze de hordeur en liet ons binnen.

De voorkamer was klein en stond vol met versleten meubels. Exemplaren van *The National Enquirer*, met koppen over ontvoeringen door buitenaardse wezens en de ontrouw van filmsterren, lagen verspreid over de salontafel. De kamer rook naar sigaretten en luchtverfrisser.

"Gaat u zitten," zei Mannie met een onzeker gebaar. "Politie, huh? Als het over de hond gaat, ik neem hem 's nachts binnen tegenwoordig."

Jake ging in een houten schommelstoel zitten die protesterend kraakte. Ik bekeek een verzameling ingelijste foto's die op de tv stonden.

"Het gaat niet over de hond," zei Jake. "We zijn op zoek naar Ted."

"Ted? Ted Harvey?"

"Inderdaad. Wanneer heeft u hem voor het laatst gezien?"

"Is er iets met Ted gebeurd?"

"Waarom vraagt u dat?"

"Nou, als jullie rechercheurs zijn..." Ze maakte een gebaar met haar sigaret in de lucht. Nerveus. Heel nerveus.

"We zijn naar hem op zoek, dat is alles, mevrouw. Wanneer heeft u Harvey voor het laatst gezien?"

"Maandagavond."

"Afgelopen maandagavond? Daarna heeft u hem niet meer gezien?"

Ze sloeg haar ogen neer. "Eh – nee."

"Is er maandagavond iets gebeurd?"

"Nee. Nee, natuurlijk niet."

Ik pakte een foto waarop Marnie in jagerstenue stond. Ze had een geweer vast. Daarachter stond een andere foto van Marnie en een kleine, grijsharige man in een zeilboot. Ik bestudeerde de man.

"Is dit Ted?" vroeg ik Marnie.

Ze draaide haar hoofd met een ruk om. "Ja, dat is Ted."

Jakes blik kruiste de mijne. Ik knikte.

"Wat is dit?" vroeg Marnie plotseling. "Jij bent niet van het Sherfiff's Department."

Ze wees naar mij.

"Ik ben bij de LAPD," antwoordde Jake kort.

"LA…" Haar stem haperde.

"Wat is er zondag gebeurd, mevrouw Starr? Hadden Ted en u ruzie?"

"Het was geen ruzie. Niet echt."

"Maar jullie hadden een meningsverschil?"

Marnie leek te twijfelen. Uiteindelijk mompelde ze: "Mensen zeggen wel eens dingen als ze boos zijn."

"Wat voor dingen?"

"Ik was alleen maar boos. Ik was zijn excuses, zijn beloftes en grote woorden zat. Ik ben achtenvijftig. Geen jonge meid. Is het zo verkeerd als ik een beetje zekerheid wil?"

Ik zei: "U wilde een verbintenis?"

Jake keek me vreemd aan, maar Marnie draaide zich gretig naar me toe, alsof er eindelijk iemand was die haar taal sprak. "Precies."

"Heeft u Ted bedreigd?" wilde Jake weten.

"Be-bedreigd? Niet echt. Ik bedoel, ik hou van hem."

"Uh huh. En hoe nam Ted het ultimatum op?"

"Hij zei dat hij het zou bewijzen. Dat hij nu een klapper ging maken."

"Wat bedoelde hij daarmee?" vroeg ik.

Ze haalde haar schouders op en drukte haar sigaret uit. Daarna groef ze in de zak van haar badjas naar het pakje. Haar handen trilden toen ze er een nieuwe sigaret uit haalde.

Jake zei onverstoorbaar: "Heeft Ted u ooit bedrogen, mevrouw Starr?"

Ze bloosde zo dat haar hele gezicht dezelfde kleur kreeg als haar sproeten.

"Nee!"

"Heeft u gedreigd hem te vermoorden?"

"Wie heeft u dat verteld?"

"Heeft u het gedaan?"

"Mensen zeggen dingen als ze boos zijn. Het betekent niets. Ted wist dat. Ted zei zelf ook zulke dingen."

"Praatte hij over zijn grote klapper?" Toen ik deze vraag stelde, wierp Jake me een waarschuwende blik toe.

"Nee." Ze gebaarde vaag. "Wat valt er te vertellen? Het was alleen maar grootspraak."

"Wie was Harveys afnemer?" Jake nam de leiding weer.

"A-afnemer?"

"U heeft me wel gehoord."

"Ik weet niet wat –"

"Laat maar," zei Jake. "We zijn alleen maar op zoek naar Harvey. Het kan me niet schelen of hij hasj verkoopt vanuit zijn kofferbak."

"Wat moet u dan van hem?"

"Laten we zeggen dat het een zaak is van leven en dood."

Ze keek aarzelend en ik kon haar dat niet kwalijk nemen. Ik bedacht dat Jake beter met een ander verhaal had kunnen komen dan de waarheid.

We kwamen niet veel verder met mevrouw Starr. Ze nam het kaartje aan dat Jake haar gaf en zei dat ze zou bellen als Ted zou komen opdagen. Ik twijfelde er niet aan dat het in de vuilnisbak zou liggen nog voordat we de bouwvallige trap af waren.

Terwijl Jake een late lunch nuttigde wandelde ik weer langs de veekralen en liep in een impuls de schuur binnen. Niet dat ik verwachtte dat daar cannabis hing te drogen aan de dakbalken, maar je wist maar nooit.

Ik ging door de tuigkamer naar binnen die, zelfs na al die jaren, nog vaag naar leer, olie en zaagsel rook. Aan de muren hingen hoofdstellen. Een zadel wachtte nog steeds op reparatie. Ik liep langs de lege stallen. In mijn grootmoeders tijd hadden die vol gestaan met Arabieren. Krachtige botten, fiere schoonheden met kristalheldere ogen en sierlijk gebogen nekken.

Ik had mijn eigen paard toen, een vosruin die ik Flame had genoemd (niet echt toepasselijk, gezien zijn tamme aard). Toen Granna overleed, werd Flame samen met alle andere paarden verkocht, mijn moeder was ongetwijfeld bang dat ik mijn magere nek nog eens zou breken.

Ik nam aan dat het door mijn vaders vroegtijdige dood kwam dat Lisa zich altijd zo'n zorgen maakte over mijn gezondheid. Ik was alles wat ze had, en daar herinnerde ze me regelmatig aan. Dat was haar eigen keus; mijn moeder was een mooie rijke jonge weduwe geweest. Misschien was mijn vader, zoals ze altijd zei, echt de grote liefde van haar leven. Of misschien was ze bang haar geluk nog een tweede keer te beproeven. In ieder geval had Lisa overal gevaar in gezien, van honden tot fietsen. En haar grootste angst leek bewaarheid te worden toen ik op zestienjarige leeftijd getroffen werd door acute reuma.

Nu stond ik in de lege stal en ademde de vervagende herinnering van hooi, paarden en de bittere geur van alsem in. Toen ik nog kind was, had ik de ambitie gekoesterd om Arabische paarden te fokken, net als mijn grootmoeder. Hoe zou mijn leven zijn geweest als ik niet ziek was geworden? Had ik dan ook een boekwinkel gehad? Waarschijnlijk had ik Jake dan niet ontmoet.

Ik moest denken aan een ander verbod van Lisa, dat over 'ruige jongens', en ik grinnikte in mezelf. Als er iemand een ruige jongen was, dan was het Jake wel.

Achterin de stal stond een door de motten aangevreten buggy. Ik liep erheen, bedenkend hoe jammer het was dat dit allemaal stond te verkommeren, aangevreten door termieten en houtworm. Misschien zouden een paar schenkingen aan het plaatselijke museum mij een zeer aantrekkelijke aftrekpost bezorgen.

In de holle stilte van de donkere schuur klonk het gezoem van insecten onnatuurlijk hard. Op zoek naar de bron van het geluid liep ik terug naar het middenpad en hield uiteindelijk stil om over de afsluiting van een van de boxen te kijken. Er lag iets, half begraven onder het stro en het zaagsel. Ik opende het hek en stapte de box in.

De slordige omtrek, het patroon van het materiaal – geruit katoen.

Mijn hart bonsde al van weerzin, nog voor mijn hersenen het verband legden.

Hoe had die zoete ziekmakende geur me in godsnaam kunnen ontgaan?!

Ik pakte mijn zakdoek en drukte het katoen tegen mijn mond en neus. Vlakbij het ding staarde ik naar beneden en het zoemen van de vliegen overstemde het zoemen in mijn hoofd. Ik snakte wanhopig naar frisse lucht en licht. Ik wilde wegrennen van de schuur en de deuren sluiten voor wat daar in het hooi lag. Sluit de deur, doe hem op slot en vergeet het.

De fysieke realiteit was zo anders dan het theoretische gepuzzel.

Ik hurkte neer en duwde stukken stro opzij.

De tijd was hem niet genadig geweest. Maar dat was de belager van Ted Harvey ook niet geweest.

7

"Het is niet dezelfde man."

Jake wendde zijn blik af van de activiteiten voor ons. Het erf stond vol politieauto's, alsof het een markt voor tweedehands auto's was. Mannen in uniform stonden te roken en te kletsen – het was duidelijk een rustige dag voor de boevenvangers in de Sierra Nevada. "Waar heb je het over?"

"Het is niet de man die ik die avond op de weg heb gevonden. Het is Ted Harvey niet."

"Misschien is het niet Ted Harvey maar het moet dezelfde man zijn."

"Dat is hij niet." Ik hield me stil toen we gezelschap kregen van sheriff Billingsly.

"Ik geloof dat ik je een excuus verschuldigd ben, English," zei hij met tegenzin.

"Ja en nee. Dat is niet de man die ik die avond op de weg gevonden heb."

"Zeg dat nog eens?"

"Het is niet dezelfde –"

Jake onderbrak me op een manier die ik niet meer had gehoord sinds de eerste barse dagen dat we elkaar kenden: "Jezus Adrien, die vent is precies zoals je hem beschreven hebt, zelfs tot het geruite hemd aan toe."

"Zo op het eerste gezicht, ja."

Billingsly keek van Jake naar mij en zei: "Je moet toegeven, English, dat twéé verschillende dode mannen op jouw terrein toch wel verdacht is."

Verdacht, zei hij, níét toevallig? Noem me overgevoelig, maar mijn alarmbellen gingen af. En waar rook is…

"Is het Ted Harvey?" vroeg Jake.

"Welnee, hij is het niet," gaf Billingsly toe.

"Wie is het verdomme dan wel?"

De sheriff haalde zijn schouders op. "Weet ik niet, maar ik zou graag eens een woordje willen wisselen met die oude Ted."

We vielen stil toen het lichaam op een stretcher de schuur uit werd gedragen en in een lange auto met daarop "Medisch onderzoeker" werd geschoven. Eén van de hulpsheriffs sloeg de staldeuren dicht. Een ander begon gele tape af te rollen om het gebouw af te sluiten.

Billingsly zei: "Kunnen we ergens rustig praten, English? Ik wil graag meer horen over die avond."

We verzamelden ons allemaal in het huis en Jake luisterde zwijgend toe hoe ik opnieuw over mijn ontdekking van het lijk op de weg vertelde. De sheriff maakte langzaam en uitgebreid aantekeningen, maar hield daarmee op toen ik probeerde uit te leggen waarom ik dacht dat het lichaam in de schuur niet hetzelfde was als dat op de weg.

"De vent die ik die avond vond was grijzer. Slonziger. Hij had zich al een paar dagen niet geschoren en zijn vingernagels waren vies."

"Je vindt het lijk in de schuur niet afgeleefd genoeg?" vroeg de sheriff droog.

"Zijn lichaam was al aan het ontbinden! Hoe zou jij dan in vredesnaam kunnen zien of zijn vingernagels wel of niet vies waren?"

"Ik geloof dat ik het niet helemaal goed uitleg."

Geduldig zei Jake: "Adrien, je hebt het lijk maar een paar seconden gezien bij maanlicht. Het is bijna vijf dagen geleden. Ik denk dat het normaal is wat je doet: je verwart je herinnering met de foto van Harvey die je net gezien hebt."

Billingsly kwam tussenbeide: "Welke foto?"

"Ik denk het niet," antwoordde ik Jake. "Toen ik dit lichaam zag, kon ik één tel het gezicht van de eerste man zien, alsof het er overheen lag. Dit lichaam lijkt in niets op wat ik me herinnerde. Ik denk dat het kogelgat in zijn rug hoger zat."

"Het is vijf dagen geleden!"

"Welke foto van Harvey?" drong de sheriff aan.

"Adrien zag ergens een kiekje van Harvey," antwoordde Jake vaag. "Denk erom, Adrien, dat je geen professioneel waarnemer bent." Dan, als een geboren en getogen klootzak, voegde hij er tegen de sheriff aan toe: "Hij schrijft moordverhalen."

Bilingsly wachtte even, telde één en één bij elkaar op. "Oh, ik snap het. Zoals *Murder She Wrote*!" Hij bulderde van het lachen, het geluid weerkaatste tegen de hardhouten vloer en mijn zenuwen.

Ik probeerde mijn irritatie te verbergen. "Ik geef toe dat de herinnering aan het eerste lichaam wat wazig is, maar toen ik het gezicht van deze man zag, wist ik meteen dat hij het niet was. Ik weet dat mijn eerste indruk de goede was."

Billingsly, die eindelijk zijn lachen bedwong, zei: "English, je hebt een hoop doorgemaakt, dat is zo. Heel wat materiaal voor een verhaal, toch? Je kunt waarschijnlijk niet wachten om terug naar LA te gaan."

Ik keek giftig naar Jake. Hij zag mijn blik en keek weg.

Billingsly maakte nog wat notities, duidelijk om mij ter wille te zijn. Hij bedankte me voor mijn tijd en moeite en ging weg. Hij was de laatste van de vloot die mijn erf verliet.

Toen het geluid van motoren was weggestorven, was het enorm stil in de keuken. De zware geur van bloeiende seringen waaide door het open raam naar binnen en wiste de herinnering aan die andere geur uit.

"Dat was dat," zei Jake, terwijl hij de koffiekopjes in de gootsteen zette.

"Is dat zo?"

"Ja." Hij draaide zich om zodat hij naar me kon kijken. "Probeer geen boek te maken van een papiersnipper. Je vermiste lijk is gevonden. Het slachtoffer was waarschijnlijk een medeplichtige van Harvey. Harvey heeft hem vermoord en nu is hij er vandoor."

"Harvey is dood."

Na een korte stilte draaide Jake de kraan open. Boven het ruisen van het water hoorde ik hem zeggen: “Misschien is hij dat ondertussen inderaad, maar dat is ons probleem niet.”

“Als jij het zegt.”

Hij draaide de kraan dicht. “En wat bedoel je daarmee?”

“Daar bedoel ik mee dat ik dan wel geen professioneel waarnemer ben, maar ik ben ook niet blind. Twee verschillende mannen. Twee verschillende lichamen.” Ik hield mijn vingers als het vredesteken omhoog, hoewel ik me helemaal niet vreedzaam voelde. “Waarom gelooft niemand dat?”

Hij wierp me een afkeurende blik toe. “Nu is het een complot?”

“Kom op, Jake, je weet wel wat ik bedoel. Iedereen is er te veel op gebrand de voor de hand liggende verklaring te geloven. Ik weet waarom jij dat doet, maar waarom doet de sheriff dat?”

“Schat,” zei hij uiteindelijk en bijna vriendelijk. “Je hebt te veel verbeelding. Dat is goed voor een schrijver en slecht voor een – eh – detective.”

“Ik meen me te herinneren dat jij ooit zei dat een goede detective niet bang is om zijn verbeelding te gebruiken.”

“Schrijf je alles op wat ik zeg?” wilde hij geërgerd weten.

“Er zijn zoveel tegenstrijdigheden dat het helpt om alles bij te houden.”

“Ja. Wat me ergens aan doet denken. Moet jij niet aan het schrijven zijn of zo? Is dat niet de reden waarom je hierheen gekomen bent? Ik heb je nog geen letter zien schrijven sinds ik hier ben.”

“En dat is nog zoiets: dat *Murder She Wrote*-grapje!”

Hij ontweek mijn blik. “Dat maakte ík niet.”

“Jij gaf de voorzet.”

Jake kruiste zijn armen voor zijn borst en weigerde zijn spijt te betuigen.

“Acht wat.” Ik weet wanneer ik mijn tijd verdoe. Ik verdween naar de studeerkamer om af te koelen.

Het lag voor de hand dat we ruzie zouden krijgen als we langer dan een paar uur in elkaars gezelschap doorbrachten. Eerlijk gezegd deden we dat ook als we minder dan een paar uur samen doorbrachten.

Ik dacht terug aan de onverwachte massage.

Na een paar minuten piekeren begon ik me te vervelen en pakte ik de gele brochure op die ik in het museum had gekocht.

Volgens *De geschiedenis van Basking* werd Basking in 1848 voor het eerst bewoond door een ex-cavalerist, genaamd Archibald Basking. Basking was ook een kunstenaar en zijn tekeningen van Indianen en het Indiaanse leven hingen in de plaatselijke museums, zoals in het Royale House. Vanaf 1860 kwam Basking in de geschiedenisboeken, maar toen was de goudjacht al in volle gang en telde Basking al heel wat inwoners. Toen de jacht naar goud in 1884 ophield, bleven veel burgers er wonen en oefenden andere beroepen uit. Basking overleefde en floreerde zelfs, in tegenstelling tot de meeste van de 500 goudmijnkampen die tijdens de goudjacht als paddenstoelen uit de grond waren geschoten. Daar bleef nu niets meer van over dan wat ruïnes en de verbleekte namen op wegwijzers.

Bla, bla, bla.

Zo nu en dan keek ik op van mijn boek en ving door het raam een glimp op van Jake, die de kapotte luiken repareerde en zijn agressie afreageerde op het huis. Het verbaasde me dat hij niet, net als Popeye, de spijkers gewoon in het hout spuwde. Terwijl hij werkte floot hij grimmig, met de spijkers tussen zijn lippen geklemd. Toen hij klaar was met de luiken ging hij verder met het beschadigde latwerk waar de rozen langs omhoog klommen.

Een échte kerel.

Ik las verder tot ongeveer vijf uur. Rond die tijd stond Jake onder de douche, waar ik hem kon horen vloeken over de wisselvallige waterdruk en de schommelende temperatuur. (Ah, de typische geluiden van het huiselijke leven.)

Ik geef toe dat ik ontmoedigd was. Grace Latham zou nu al lang een afgescheurd stukje papier met een beschuldiging of een bloederige voetstap of wat dan ook gevonden hebben. Detectivewerk is niet alleen makkelijker in boeken; het is ook leuker.

En dat was het moment waarop ik mijn eerste aanwijzing vond. Daar in vlekkerige inkt, stond de naam van de mijn die eigendom was geweest van Abraham Royale: de Red Rover-mijn.

Ik legde het boek aan de kant.

In de voorkamer schonk ik twee whisky's uit een fles van twintig jaar oud, die Jake achterin het drankkabinet had gevonden. Ik nam een slok van de mijne terwijl ik uit het raam staarde en keek hoe de wind door het wintergras graaide als een onzichtbare hand door de pels van een slapend dier.

Jake verscheen in de deuropening terwijl hij zijn vochtige haar achterover kamde. De zon had de kleur in zijn gezicht dieper gemaakt. Door zijn bronskleurige corduroy hemd leken zijn ogen bijna goudkleurig.

"Je kunt beter een paar minuten wachten," zei hij. "Er is geen warm water meer."

Ik gaf hem zijn drankje. Hij nam een slok en zuchtte goedkeurend.

"Heb je veel gedaan?" vroeg hij.

"Genoeg."

"Luister, even voor de zekerheid: als iemand op dat etentje begint over wat hier vandaag gebeurd is, zeg dan niet dat volgens jou de dode man in de schuur niet dezelfde is als de man die je vond op de avond dat je hier arriveerde."

"Waarom?"

"Doe me gewoon een lol en hou je mond."

"Hoe kan ik weigeren als je het zo vriendelijk vraagt?"

Hij wierp me die lach toe die meer een grimas was en zei: "Alsjeblieft."

"Hé, het toverwoord." Ik tikte mijn glas tegen het zijne en dronk het leeg op weg naar de badkamer.

Er was inderdaad geen warm water dus ik douchte snel.

Toch werd het verband om mijn hoofd doornat en viel eraf. Ik onderzocht het, gooide het in de vuilnisbak en hoopte dat het geschoren deel op mijn hoofd niet teveel opviel. Het was gelukkig maar tijdelijk. Ik had het babyachtige donkere haar van mijn moeder geërfd en ik had er genoeg van. Eigenlijk had ik zelfs meer nood aan een knipbeurt dan aan een scheerbeurt. Ik wilde net met een nagelschaartje aan het haar op mijn voorhoofd beginnen toen Jake in de deuropening verscheen.

"Wil je nog wat drinken?" vroeg hij.

"Nee."

Hij bekeek me terwijl ik aan het knippen was en zei: "Om hem beter te kunnen zien?"

"Ik snap je niet."

"Dat joch. O'Reilly."

Mijn hand beefde en ik stak mezelf bijna een oog uit. "Je maakt een grapje, toch?"

Maar Jake was alweer verdwenen. Vanuit de andere kamer hoorde ik hem zo luid zijn neus snuiten dat het klonk als een bronstige eland.

Ik trok een bijna schone spijkerbroek aan en vond onderin mijn oude reistas een blauw denim werkhemd. Ik maakte mezelf wijs dat het blauw goed bij mijn ogen paste en de kreukels bij de lijntjes rond mijn ogen.

Het schemerde al toen we bij Spaniard's Hollow kwamen. Tegen de kleurige lucht staken de zwarte tenten af als uitgeknipte silhouetten, van binnenuit verlicht door petroleumlampen. We parkeerden bij het meer bij de andere auto's. Het geluid van stemmen gonsde over de open plek.

De gekke professoren waren allemaal aanwezig, behalve professor Livingston, die helaas niet op tijd terug in het kamp was geraakt voor de festiviteiten. Professor Shoup nam de honneurs waar en gaf ons een rondleiding op de site.

Hoewel Shoup het etentje had voorgesteld, was hij niet veel

aangenamer dan de vorige keer dat we elkaar gezien hadden.

"De term archeologie verwijst naar het systematisch en methodisch terugvinden van het materiële bewijs van menselijk leven en menselijke cultuur. Het is een wétenschap," lichtte hij toe terwijl hij ons een tent binnen leidde die vol stond met kartonnen dozen en lange tafels waarop een verscheidenheid aan artefacten lag: kapotte flessen die paars waren geworden door de tand des tijds, pijlpunten, een verroeste gesp.

Shoup zweeg even, duidelijk wachtend op opmerkingen. Toen we hem niet tegenspraken, ging hij verder: "Onze kennis van het verleden stelt ons in staat de toekomst vorm te geven."

Ik keek hoe Jake professor Shoup taxeerde, van de punt van zijn gepoetste laarzen tot het topje van zijn kaki safarihoed. Ik herkende de spottende trek op zijn lippen en verheugde me al op zijn commentaar op de terugweg.

"Hoeveel mensen heeft u in dienst?" vroeg hij te beleefd.

Professor Shoup zei: "We zijn met acht. In de weekenden komen onze vrijwilligers er nog bij. In de zomer zal het anders zijn. De universiteit financiert een programma voor volwassenen."

"Universiteit?" De politie wil altijd dat de feiten correct zijn.

"Tuolumne Junior College," lichtte ik toe.

Professor Shoup stopte lang genoeg om ons het apparaat te laten zien met de onmogelijke naam "proton magnetometer" en legde uit dat de data die hiermee verzameld werden verwerkt werden in de computers op de universiteit. Die genereerden vervolgens gedetailleerde plattegronden, profielen en driedimensionale beelden.

"Maximale informatie, minimale verstoring van de grond?" suggereerde ik.

"Klopt."

Jake keek me aan en trok zijn wenkbrauwen op.

"We zijn professionals, meneer English. We verkrachten en plunderen het gebied niet, zoals u suggereert."

Jake zei: "Huh?"

"Heeft u de Red Rover-mijn al gevonden?" wilde ik weten.

De ogen van professor Shoup vernauwden zich tot spleetjes. "Eh – nee. Nog niet."

"Hoe kan dat?"

Hij moest zich inhouden. "Om te beginnen weten we de exacte locatie niet."

"Het is een reusachtig gat in de grond, toch? Misschien toegedekt? Hoe moeilijk kan het zijn om dat te vinden? Bovendien moesten mijnen geregistreerd of gemarkeerd worden, toch?"

"We kennen het gebied, maar niet de exacte locatie. Het is slechts een kwestie van tijd."

Shoup legde uit dat er een grid over het hele terrein was gelegd om het gebied te kunnen reconstrueren. De bedoeling was om alle voorwerpen binnen dit grid op te graven en te stratificeren. Hij liet ons roosters, kaarten, een muurprofiel en de dagelijkse notities over de opgravingen zien.

"Alles is volkomen volgens wettelijke voorschriften gedaan."

Strikt volgens de regels. Ik weerstond de impuls om te salueren. "Ik geloof u op uw woord," zei ik.

"Is deze mijn veel geld waard?" vroeg Jake.

"Helemaal niet. De mijn was al dicht lang voor het eind van de goudjacht. De Red Rover is puur van historische en culturele waarde." Shoup begon uit te leggen waarom.

Kevin voegde zich bij ons en Jakes ogen begonnen te gloeien. Kevin zag er goed uit in zijn kaki korte broek en denim hemd met opgerolde mouwen – als een grote padvinder. Hij en Jake groetten elkaar kort en toen grinnikte Kevin naar mij en hield de halvemaanvormige schop die hij in zijn handen had, omhoog.

"Het belangrijkste gereedschap van de archeoloog," zei hij zacht, met een knikje naar Shoups rug. "Geschikt voor opgravingen en voor opschepperij."

Het diner in de hoofdtent bestond uit heet maisbrood en nog hetere chili van worst en bonen. De flikkerende lantaarns wierpen een gemoedelijk licht op de gezichten van de mensen die aan de lange tafel zaten. Enkelen herkende ik van mijn eerste bezoek. Het was warm in de tent en het rook er naar propaan en vochtige aarde. Jake en ik werden begroet als oude vrienden toen we aanschoven aan de tafel. Het was duidelijk dat ze ons te vriend wilden houden.

"Koffie of wijn uit een pak?" vroeg Bernice opgewekt.

Jake koos voor de koffie en ik kreeg een plastic bekertje met rosé.

"En wat denkt u van onze operatie?" vroeg professor Marquez, die links van mij zat. Zijn melancholieke donkere ogen keken in de mijne alsof hij wachtte op slecht nieuws.

"Het lijkt erop dat u hier professioneel bezig bent." Hoewel ik me ergerde aan de testkuilen die ze groeven, kon ik niet helpen dat ik meegesleept werd door de energie en kameraadschap om ons heen.

"Professor Shoup heeft veel veldervaring. Hij is... aan ons uitgeleend, zou je kunnen zeggen, door de Universiteit van Berkeley."

"Ik dacht dat professor Livingston hier de leiding had?"

"Dat is waar."

"Wanneer komt hij terug?"

Hij dronk zijn koffiekopje leeg. "Vanavond laat of morgen."

"Doet u dit de hele dag?" wilde ik weten.

Marquez lachte zijn sombere lach. "Ik geef les. Aardrijkskunde en dierkunde, evenals antropologie." Hij zuchtte. "Verscheidenheid betekent tegenwoordig werkzekerheid. Of in ieder geval iets wat daarbij in de buurt komt."

Aan mijn andere kant zat Jake zijn eten naar binnen te scheppen als een goudzoeker. Tussen de happen door reageerde hij op Amy's avances. Ze vertelde het grappige verhaal over hoe ze bijna mijn hoofd eraf had geschoten en Jake verslikte zich bijna van het lachen.

Ongeveer halverwege het eten verscheen Melissa Smith ten

tonele, de wraakgodin uit mijn jeugd. We schoven allemaal wat dichter bij elkaar om plaats te maken. Ze perste zich tussen Kevin en professor Marquez in en begroette me als een oude vriend.

"Ik wist niet dat jij deelnam aan deze expeditie," zei ik.

Haar blik vertelde me dat er wel meer dingen waren die ik niet wist. "Ik werk aan mijn proefschrift antropologie." Ze schudde haar haren uit haar gezicht en nam een bord aan van Bernice.

Kevin zei: "Ik hoor dat er vandaag spannende dingen zijn gebeurd bij jou."

"Wat dan?" Professor Shoup keek met zijn bleke gezicht in onze richting.

"We vonden een lijk in de schuur," zei Jake. "Waarschijnlijk een zwerver."

"Gatver!" zei Amy. "Wat deed hij in jullie schuur?"

"Hoe moet iemand weten wat een zwerver aan het doen is?" blafte Shoup als een bulldog met een slecht humeur. "Nog meer slimme vragen?"

Amy kleurde net zo rood als haar thermisch onderhemd.

Kevin vulde mijn plastic beker bij met wijn uit het pak. Ik lachte 'dank je wel'. Kevin lachte 'graag gedaan' terug. Jake schopte tegen mijn enkel.

"Au."

"Sorry."

Nou ja, we zaten inderdaad behoorlijk dicht op elkaar aan de lange tafel.

Bernice zei: "Maar ben jij niet degene die vorige donderdag een lijk vond?"

"Adrien," verhelderde Jake. "Adrien is degene die de lijken vindt."

"Ja, nou, tot nu toe heb ík er tenminste nog nooit een gemaakt."

"Wat zeg je?" Shoups bestek kletterde op zijn bord. Hij gaapte ons aan.

Naast me voelde ik Jake verstijven. Hij was de enige die begreep wat ik bedoelde. Gezien het feit dat Jake iemand gedood had om mijn leven te redden – en hij daardoor bovendien bijna zijn badge was kwijtgeraakt – was het een erg gemene opmerking.

"Jake is bij de politie," zei ik. "Hij vertrouwt niemand."

"Politie?" herhaalde Kevin.

Was het mijn verbeelding of viel er een ongemakkelijke stilte?

"Wat doe je bij de politie?" vroeg Kevin.

"Rechercheur. Moordzaken." Jake klonk mat. Hij ging verder met eten, met de intentie alles op zijn plastic bord tot de laatste boon op te eten.

Weer zo'n vreemde stilte. Melissa gniffelde en zei toen: "Nou, misschien moeten we aan Jake vragen –"

"Smith, je weet hoe ik hierover denk." Shoup kapte haar abrupt af.

Terwijl ik de gezichten om ons heen bestudeerde, keek alleen professor Shoup me aan. Langzaam zei ik: "Is er iets wat ik zou moeten weten?"

"Nee, dat is er n-niet," zei Shoup met een licht en veelzeggend gestotter.

"Hoe zit het met de vreemde geluiden? Het zingen?"

Jake maakte een geluid alsof hij zich verslikte in een boon.

"Het spookt in de vallei, weet je," zei Melissa pesterig.

"Daar gaan we," zei Kevin. "De legende van Big Foot."

"Spot niet te gauw met dingen waarin anderen geloven, O'Reilly," zei professor Marquez ernstig.

"Zo is het," zei Amy. "Melissa's mensen waren hier al toen de jouwe nog naar aardappelen groeven in Ierland."

"Wat heeft dat er in vredesnaam mee te maken?"

Amy's logica scheen zelfs haarzelf te verwarren. Ze haalde haar schouders op en stopte een worstje in haar mond.

"Er zijn hier in het dal bomen te vinden die ouder zijn dan jouw Verenigde Staten," zei Melissa. "Die jeneverstruiken bij het bergmeer zijn vier-hon-derd jaar oud. De insecten die erin zitten hebben godverdomme een complexere beschaving dan de jouwe."

"Let op je taal," waarschuwde professor Marquez.

"Naar het schijnt zijn bergen sterke krachtpunten," bracht Bernice in, terwijl ze een zak met pindakoekjes rond liet gaan. "En water. Hier heb je een argument dat dit dal een toegang naar de geestenwereld is."

"Spirituele archeologie!" jouwde Kevin.

"Dit dal werd lange tijd als heilige plek gebruikt door de inheemse bevolking," zei Melissa. "De tekeningen op de rotsen boven ons zijn beschermgeesten."

"Onzin!" zei professor Shoup. "Geen woord meer over weerwolven."

Niemand had het over weerwolven gehad. Jake en ik wisselden een blik uit.

"Zei u –?" vroeg ik.

Kevin keek me aan en maakte een grimas. "Vraag Melissa maar naar 'De Verscheuring'."

Ik draaide me om naar Melissa. Ze lachte nog steeds maar er was iets in haar blik. Iets duister en ondoorgrondelijk.

"Wilt u een griezelig kampvuurverhaal horen, meneer English?"

"Willen padvinders voorbereid zijn?" Ik negeerde de duidelijke afkeuring van professor Shoup.

Melissa schoof haar stoel van de tafel af en vouwde haar armen zodat ze makkelijk zat, comfortabel in haar rol als verhalenverteller. De rest van ons viel stil en wachtte.

"Volgens de legendes van mijn volk, stak Coyote-man – toen het land, het water en de lucht naar zijn tevredenheid waren voltooid – twee stokken in de aarde op alle plaatsen die hij had uitgekozen voor De Mensen. De helft van die stokken werden mannen, de helft werden vrouwen. Het is een scheppingsverhaal." Ze schokschouderde.

"De kleintjes leren het verhaal over Hagedis-man die Coyote-man ervan overtuigde dat het beter was voor de mensen dat ze vingers hadden in plaats van klauwen, en daarom zit Coyote sindsdien Hagedis achterna in de rotsen. Maar er is een ander verhaal. Een ouder verhaal."

Hoe meer Melissa in het verhaal kwam – haar ogen half gesloten – hoe lager haar stem werd. De hele tafel was muisstil.

"Dit is een verhaal dat mijn grootvader mij vertelde. Mijn grootvader was een medicijnman. Een wijs man. Hij kende vele verhalen. Het verhaal dat hij mij vertelde was dat Coyote-man niet wilde luisteren naar Hagedis-man, in ieder geval niet meteen. Daarom kregen de eerste mensen die tot leven kwamen klauwen en slagtanden. Klauwen en slagtanden." Melissa stak haar handen in de lucht, haar vingers gekromd alsof ze klauwen had. Ze krulde haar lippen alsof ze gromde.

Je kon een speld horen vallen.

"Misschien wilde Coyote-man wel dat deze eerste mensen op hemzelf zouden lijken. Misschien deed hij het om zijn broer, Wolf, te bespotten. Niemand weet het. Sommigen zeggen dat deze eerste mensen ontstonden in de tijd van de grote serpenten, wier voetstappen de bomen deden trillen. Sommigen zeggen dat deze wezens werden geboren in een wereld waarin de bergen vuur spuwden, waarin rivieren van rode lava de wereld in vuur lieten baden. Wie kan zich herinneren wat er gebeurde in de tijd voor de verhalenvertellers bestonden? Maar het is waar dat deze eerste mensen zo kwaadaardig waren dat, toen ze tot leven kwamen, ze elkaar besprongen en verslonden, zowel mannen als vrouwen."

Dat klonk als de gemiddelde middelbare school. Ik keek naar Jakes. Zijn blik gleed langzaam mijn kant op.

"Net als wolven in de winter waren de eerste mensen bloeddorstig en verlangden ze naar vlees en bloed. Te laat besefte Coyote-man wat hij gedaan had. Hij probeerde het te stoppen voordat ze elkaar allemaal hadden verslonden, maar hij kon slechts vijf van hen redden, van deze Eerste Mensen. Nu hij ze gered had wist Coyote-man echter niet wat hij met ze moest beginnen, want ze waren net zoveel dier als mens en er waren al genoeg dierlijke geesten in de wereld. Dus noemde hij ze de Bewakers en liet ze de wacht houden voor de poort tussen de geestenwereld en de onze. En als ooit een mens te dicht bij de poort komt zullen de

Bewakers zich op hem storten en hem verscheuren, bot voor bot zullen ze hem verscheuren."

We staarden allemaal als gehypnotiseerd naar Melissa die het einde van haar verhaal vertelde op een zangerige toon. "Hij bracht ze naar de duisternis. Een duisternis zo diep als het diepste water of de zwartste nacht, het zwart van de boombast, het zwart van de pels, het zwart van de klei die de onvoorzichtige voetstap aanzuigt. Je zult ze herkennen aan de duisternis als je te diep in het hart van de nacht doordringt. Maar nog voor je hun klauwen en tanden voelt, zal je hun ogen zien die oplichten in de duisternis, helder als amber, als een wespensteek, als nepgoud."

Melissa's stem stierf weg. Niemand zei iets.

Uiteindelijk grinnikte professor Marquez en zei: "Ik vrees dat er een paar – eh – gaten in dat verhaal zitten, Smith."

Melissa lachte ook, de betovering was verbroken. "Het is maar een legende. Een verhaal om te voorkomen dat de kleine kinderen te dicht bij de grotten komen."

Professor Shoup beet ons ijzig toe: "Het is dit soort onverantwoordelijk gewauwel over legendes en volksverhalen die sukkels ertoe inspireren om elk verplaatsbaar artefact op te graven en mee te nemen, waardoor plaatsen als deze volledig ontheiligd worden."

"Wij noemen dat het Schliemann-syndroom," informeerde professor Marquez mij.

"Maar als Heinrich Schliemann niet had geluisterd naar de legendes en er niet in geloofd had, dan had hij Troje niet ontdekt," zei ik.

"Troje?" barstte professor Shoup uit. "Welk Troje? Troje nummer één of nummer negen of nummer nul? Te weinig kennis is een gevaarlijk iets."

Iets na tienen was het feestje afgelopen. Toen we ons door het natte gras een weg baanden naar de Bronco, hield Jake zijn hand op voor de sleutels.

Mijn auto, ik rijd. Zo zie ik het, maar kennelijk verloor Jake punten telkens als hij een andere man toestond te rijden, dus gooide ik hem de sleutels toe. Ik had toch al te veel goedkope wijn gehad en mijn hoofdpijn speelde weer op.

We reden al ongeveer een mijl over de zandweg toen ik zei: "Dat was stom. Wat ik zei tijdens het eten."

Droog merkte hij op: "Welk stom ding bedoel je precies?"

Die verdiende ik misschien wel. "Over het maken van lijken," zei ik.

Jake bromde iets, wat kon betekenen "het is je vergeven" of "lazer op". Even later zei hij: "Maar ik wou dat je hen niet verteld had dat ik bij de politie ben."

"Dus je bent het ermee eens dat er iets aan de hand is?"

"Nee. Ik vind het… sociaal onhandig."

We reden door een kuil en ik gromde alsof mijn eigen ophanging de schok had opgevangen.

"Was jij ooit bij de padvinders?" wilde Jake weten, terwijl hij terugschakelde.

"Nee."

"Dat komt door je moeder zeker?"

Jake had het mijn moeder nooit vergeven dat ze had geprobeerd hem te laten ontslaan tijdens zijn onderzoek naar mij. Geen van beiden waren ze erg vergevingsgezind.

"Jij wel? Was jij bij de padvinders, bedoel ik."

"Ja hoor! Ik was een Eagle Scout."

"Dat dacht ik al."

Net op dat moment, alsof het recht uit *The X-Files* kwam – of uit één van Melissa's spookverhalen – vloog er iets op uit de duisternis. Iets met gloeiende gele ogen en uitgestrekte klauwen, dat zich krijsend op ons stortte.

Er klonk een dreun waarvan de voorruit had moeten breken. Ik zag vaag iets als horens, een vlijmscherpe bek en die gloeiende ogen.

"Shit!" Jake week snel uit.

De Bronco raasde de weg af. Jake probeerde het stuur weer onder controle te krijgen, maar we slingerden een geul in, onze hoofden botsten tegen het plafond. Het was net alsof we vastzaten op de treinrails. We stevenden recht op een massieve eik en de hemel daarachter af. Jake ging op de rem staan.

Instinctief gooide ik mijn armen omhoog zodat ik niet weet hoe we die verdomde boom ontweken, maar we schuurden erlangs, letterlijk, twijgen en takken krasten langs de zijkanten van de Bronco. Ik smakte hard tegen de zijdeur, ondanks de gordel, en mijn arm werd gevoelloos.

Het volgende moment denderde de Bronco weer terug de weg op, met doordraaiende wielen en opspattend grind. Jake zette de motor uit. We waren allebei buiten adem. Hij deed de binnenverlichting aan.

"Alles goed?"

"Ja."

"Zeker weten?" Zijn ogen leken zwart in het felle licht.

Ik knikte, wreef het gevoel terug in mijn arm. "Jezus, dat was een staaltje rijkunst, Jake. Ik dacht echt dat we over de rand gingen."

Hij opende zijn deur, stapte uit en liep terug naar wat we geraakt hadden.

Ik maakte mijn gordel los en volgde hem.

Jake zat met één knie op de weg. Voor hem lag een uil met uitgewaaierde vleugels. Hij leek reusachtig, de spanwijdte was bijna twee meter. Hij trilde nog.

"Godverdomme," zei Jake. Hij sprak langzaam alsof hij pijn had. "Godverdegodver. Ik kon hem niet ontwijken."

"Hij vloog recht tegen de auto aan. Het is een wonder dat het raam niet kapot is."

"Hij was prachtig."

Hij was inderdaad prachtig. De bleke veren waren zo perfect dat het leek of ze met de hand geschilderd waren. Ik zag de kwastjes die eruit hadden gezien als horens. De felle ogen werden al wazig.

Ik legde mijn hand op Jakes schouder en kneep. Hij bewoog niet.

Ik keek omhoog. De mist maakte de lucht wit achter de bomen. De hele wereld leek onder een deken van zachte witte stilte te liggen. Een uil, dacht ik. Een eeuwenoude voorbode van duisternis en dood. In Indiaanse overleveringen was de uil een symbool van wijsheid en waarzeggerij – en nog steeds werden ze gevreesd als een voorteken van ellende.

Te weinig kennis is een gevaarlijk iets.

Eén ding was zeker: er was op de hele wereld geen mythe of legende waarin het doden van een uil geluk brengt.

Jake schudde zijn hoofd alsof hij zijn hoofd leeg wilde maken en zei: "Jezus, het is zonde om hem hier achter te laten voor de aaseters. Hij zou opgezet of tentoongesteld moeten worden, gedoneerd aan een museum."

Langzaam zei ik: "We kunnen hem in de Bronco leggen als je wil. Morgen zal ik iemand zoeken die hem kan opzetten."

Hij zweeg even. Toen schudde hij zijn hoofd en kwam overeind.

"Het is gebeurd," zei hij. "Laat maar."

8

De volgende ochtend stond Jake bij het ochtendgloren op om te gaan vissen. Ik sloeg zijn uitnodiging af, verborg me onder mijn kussen en vertelde hem dat ik mijn schouders eronder ging zetten en ging schrijven aan *Death for a Deadly Deed.*

Op een beschaafder tijdstip reed ik met de auto van Jake naar Basking. Maar voor ik de ranch verliet belde ik mijn ex-vriendje Mel op, die Filmstudies doceerde aan de universiteit van Berkeley.

Ik had geluk, ik trof Mel in zijn kantoor tussen twee lessen door. We kletsten kort en toen vroeg ik hem om een gunst: Wat wist hij van professor Daniel Shoup? "Halverwege de vijftig en met een voorliefde voor safarihoeden en Gestapolaarzen."

Mel dacht erover na en lachte toen met die hese lach die ik me zo goed herinnerde. "Net als Stewart Granger in *King Solomon's Mines?*"

Ik wist wel dat hij daaraan zou denken. "Of *Green Fire.*"

Dat riep herinneringen op aan avonden op de bank, dicht tegen elkaar aan, met popcorn op schoot, ons rot lachend om de slechtste films ter wereld. Mel herinnerde het zich blijkbaar ook. De klank van zijn stem werd warmer.

"Wat wilde je weten? Hij is een beetje een vreemde vogel, zelfs voor Berkeley."

"Ik weet het niet zeker. Interessante verhalen. Geruchten, roddels, insinuaties."

"Weet je, er gaat een gerucht over hem. De studenten noemen hem Indiana Bones trouwens."

"God zegene hun hormoonvolle harten."

"Ja. Nou, voor hij hier kwam, werkte hij bij het British Museum – tenminste, dat dacht iedereen. Nu blijkt echter dat het British Museum nog nooit van hem gehoord heeft."

"Serieus?"

"Dat zeggen ze op de campus."

"Hoe betrouwbaar is dat?"

Nog een hese lach. "Neem het met een korreltje zout. Hoe dan ook, de beste man en de universiteit hebben een paar maanden geleden afscheid van elkaar genomen."

Aha!

"Vanwaar die interesse?" vroeg Mel nieuwsgierig.

Daar wilde ik liever niet over praten. Grappig als je bedacht dat hij de man was aan wie ik altijd alles vertelde. Misschien was dat het probleem: ik had teveel met hem gedeeld.

"Ik heb hem een paar dagen geleden leren kennen. Ik ben op vakantie in Basking."

"Jij? Op vakantie?" Zijn lach klonk ongelovig en een tikkeltje sarcastisch. "En dan nog wel op de legendarische ranch?"

"Dingen veranderen."

"Inderdaad." Het klonk vreemd genoeg alsof hem dat speet.

Ik kwam terug op het onderwerp Shoup, maar hoewel ik vroeg om details, kon Mel me weinig meer vertellen. Hij wees me erop dat de afdeling Archeologie en Filmstudies erg ver uit elkaar lagen. Net zoals Berkeley ver weg was van Los Angeles.

Voor ik ophing, vroeg hij: "Pas je goed op jezelf, Adrien?"

Een gevoelig onderwerp tussen ons. "Natuurlijk. Altijd."

"Ben je –? Heb je –?"

Iemand gevonden? "Zo'n beetje," zei ik. "Ik ben met iemand." Het is ingewikkeld. "Ben jij nog steeds bij Phil?"

"Paul," verbeterde Mel me vriendelijk.

"Oh ja. De voormalig student."

"Voormalig laatstejaarsstudent. En nee. We zijn uit elkaar gegaan. Ongeveer zes weken geleden."

"Dat spijt me." Nee, dat speet me niet. Ik ben nooit een goede verliezer geweest.

Na uren in het wilde weg zoeken, vond ik een aantal artikelen over de Miwok, waaronder enkele over scheppingsverhalen. De overlevering van de Mensen ging over een half menselijk, half dierlijk wezen met bovennatuurlijke krachten. Zoals Melissa verteld had maakte Coyote-man ruzie met Hagedis-man nadat hij de wereld had geschapen en raakten ze het er niet over eens of de Mensen vingers of klauwen moesten hebben. Maar ik kon niets vinden over eerste mensen die de Bewakers werden genoemd, en die geboren waren met klauwen en een taakomschrijving die bepaalde dat ze de ingang naar de geestenwereld tegen stervelingen moesten beschermen.

Nergens vond ik een vermelding van "de Verscheuring".

Wat niet per se iets hoefde te betekenen. De bibliotheek was klein en haar bronnen waren beperkt. Ik probeerde een esoterisch aspect uit een Indiaanse legende te verifiëren.

Toch was het interessant.

Er was nog iets dat ik interessant vond, zo niet bruikbaar: de Kuksu, die de rotsen boven Spaniard's Hollow hadden versierd met hun mysterieuze tekeningen, waren een geheim genootschap van de Miwokstam.

Zo nu en dan keek ik op van mijn boek en dan zag ik de blik van een tamelijk vreemde kleine man die aan de andere kant van de reling zat. Zijn blik was niet moeilijk te missen, want hij staarde me letterlijk aan.

Na de derde keer pakte ik mijn boeken en notities op en verhuisde naar de andere kant van de bibliotheek. In tegenstelling tot wat Jake dacht, zocht ik nooit moeilijkheden op. Al snel was ik weer verdiept in het verhaal van de Chinezen in Californië. Ik begon Abraham Royales dilemma te begrijpen toen ik las over de anti-Chinese beweging en het ontstaan van "Blanke Allianties".

Royale was om het geld getrouwd, maar hij had ook status gewild, en een bruid met een tweederangs status als burger was daarbij een blok aan zijn been. Had hij samen met de vrouw ook de bruidsschat teruggegeven? Ik betwijfelde het. Wat was er van haar geworden, van deze al lang overleden vrouw? Mijn kennis van de Chinese cultuur was vooral gebaseerd op films, maar ik veronderstelde dat ze in ongenade was gevallen. Wat waren de mogelijkheden voor een "geruïneerde" vrouw in de negentiende eeuw – en dan nog een Chinese vrouw in de negentiende eeuw? Ondanks hun aandeel in de aanleg van de spoorwegen en hun bereidheid de banen te nemen die niemand anders wilde, werden de Chinezen verafschuwd, zelfs gehaat. De anti-Chinese beweging bereikte zijn hoogtepunt toen in 1880 een voorstel tot wijziging van de Californische grondwet werd gedaan dat de Chinezen zou verbieden te werken.

Het kapitalisme was hun redding.

Het is een eeuwige strijd, ook al verandert het ras, het geloof, het geslacht of de seksuele oriëntatie van zij die worden gediscrimineerd regelmatig. Misschien zit de behoefte naar een zondebok wel in de genen van de mens.

Terwijl ik dit zat te overpeinzen keek ik op van mijn boek en zag de oude man weer naar me staren tussen de planken van de dichtstbijzijnde boekenkast door. Er lag, echt waar, een laagje stof op de schouders van zijn zwarte… wat was het, een militaire overjas? De laatste mode bij de kringloopwinkel?

Snel keek ik weer naar het blad voor mij. Wat nu? Kon dit iets te maken hebben met wat er gaande was in Spaniard's Hollow? Ik bedoel, die oude vent zag eruit alsof hij uit 1800 kwam, maar ik betwijfelde of hij de fysieke manifestatie van een beschermgeest was. Ondanks het stof.

Uiteindelijk slenterde hij weg en ik raapte mijn onderzoeksmateriaal bij elkaar en haastte me naar de balie – waar ik hem weer aantrof. Laf maakte ik een omweg naar het rek met aanraders en probeerde niet op te vallen. Ik stond niet verder dan een paar meter van hem verwijderd dus ik weet zeker dat ik het me niet verbeeldde toen ik de man in het zwart iets tegen de bibliothecaresse hoorde mompelen over "openlijke homoseksuelen".

Hoewel ik zelf niet vind dat ik zo "openlijk" ben, spitste ik mijn oren. Ik pakte een willekeurig boek van de dichtstbijzijnde plank:

het ging over het onder controle houden van je hart. Het idee was dat je je moest concentreren op positieve gedachten, waardoor je je hartritme kon veranderen en daardoor kalm, rustig en beheerst kon blijven "zelfs op momenten van grote chaos". Dat klonk veelbelovend. Ik kon het meteen toepassen.

"...vieze homo's... Gods wraak... de dag des oordeels..." De stem van de kleine man ging omhoog en weer omlaag toen de bibliothecaresse sussende geluiden maakte.

Meer sissen. Meer sussen.

Repelsteeltje ging uiteindelijk weg met een laatste vernietigende blik in mijn richting.

De wangen van de bibliothecaresse waren net zo rood als de kristallen in haar bril toen ik de toonbank bereikte. Ik kon zien dat ze bezig was te besluiten wat het meest tactisch was: het incident negeren of niet.

Een goede raad van mijn sociaal goed onderlegde moeder: bij twijfel, glimlachen. Ik lachte aarzelend. De wangen van de bibliothecaresse werden nog roder.

"Ik moet me verontschuldigen," zei ze stijfjes, terwijl ze de binnenkant van de boeken op mijn stapel stempelde. "De Eerwaarde is eh – erg conservatief."

Ik keek naar haar kleine vuist die boek na boek van een stempel voorzag, als een dolle robot.

"Eerwaarde?"

"Eerwaarde John Howdy."

"Welke kerk?"

"Ik geloof dat hij zijn doctoraal theologie via een thuisopleiding heeft gehaald."

Kerk van de Heilige Postzegel?

Ik nam mijn boeken mee, legde ze in de auto en haastte me de hoek om naar Royale House waar ik Melissa aantrof die een rek met ansichtkaarten aan het organiseren was.

"Je hebt Kevin net gemist," informeerde ze me.

"Is dat zo? Ik dacht dat ik de rondleiding maar moest nemen."
"Het is jouw drie dollar."

Ik betaalde mijn drie dollar en treuzelde een tijdje bij de vitrinekast met Mrs. Royales traditionele bruiloftskleed en hoofdtooi. De fabelachtige zijden jurk was geborduurd met scharlakenrood en goud en was op poppenformaat – ze kon niet groter dan een meter twintig zijn geweest. Hoe oud was ze geweest? Zeventien? Zestien? Jonger?

Ik nam een kijkje in Royales slaapkamer waarin een gigantisch hemelbed stond. Voor het Chinese popje moest het een schip geleken hebben. Er stonden sepia foto's in zilveren lijstjes op het bureau. Ik stapte over het fluwelen koord om ze van dichterbij te bekijken. Sommige daarvan herkende ik uit mijn boek *De geschiedenis van Basking*: Royale en zijn partner in de Red Rover-mijn, Barnabas Salt. Op een andere foto poseerde Royale formeel met een blonde vrouw in een jurk met gesteven kraag. De tweede vrouw? Ze stonden allebei stijf rechtop zoals alle mensen op oude foto's doen; het zou een vergissing zijn als je iets uit hun lichaamstaal dacht te kunnen aflezen. Aan de andere kant, ze was er wél met de hoefsmid vandoor gegaan nog voor de bruidstaart beschimmeld was.

Ik stapte weer terug over het fluwelen koord. Hij had zijn zaakjes goed voor elkaar gehad, die Royale, naar negentiende-eeuwse normen. Hij had een herenhuis op de heuvel, vol met meubels die in die tijd een fortuin moesten hebben gekost, en zelfs in deze tijd. Er lagen Perzische tapijten en aan het plafond hingen kristallen kroonluchters. 's Nachts had hij zijn hoofd te rusten gelegd op Iers linnen en 's morgens had hij zijn ontbijt gegeten op Brits porselein.

Ik kuierde door de hal. In Royales studeerkamer stond een verzameling manden in diverse vormen en maten, geweven door Miwok- en Pomovrouwen. Sommige waren versierd met veren, andere waren groot en dicht geweven voor de opslag van voedsel. In de patronen van de manden waren pijlpunten, hertenpoten en huidpatronen van ratelslangen verwerkt. De verzameling had waarschijnlijk niet bestaan in Royales tijd, de prachtige en primitieve manden waren mogelijk gedoneerd aan het museum in de jaren na zijn dood.

Hetzelfde gold wellicht voor de tekeningen van het "Indiaanse Leven" van Archibald Basking, die de muur sierden. Nog meer Miwoks? Ik bestudeerde pentekeningen van taps toelopende Indiaanse huizen; slonzige kinderen die speelden met slonzige honden; Indiaanse vrouwen die manden weefden. Een derde tekening boven de haard trok mijn aandacht: daarop was een primitieve dans uitgebeeld. Krijgers cirkelden rond een groot vuur, een paar dansers waren gekleed in dierenhuiden met de koppen van hun voormalige eigenaren: een beer, een wit hert met gewei, een wolf.

Ik keek naar de titel: *Sjamanendans.*

Ik ging de trap af naar beneden en vond Melissa.

"Zal ik je trakteren op een lunch?"

Ze lachte zelfgenoegzaam. "Word maar jaloers, Kevin."

"Sorry?"

"Kevin valt op je, voor het geval je het nog niet gemerkt hebt."

Ik haalde een van de verkleurde folders uit het draaibare rek.

"Die tekening in de studeerkamer boven, degene die *Sjamanendans* heet, stelt dat een of ander Kuksu-ritueel voor?"

De lach verdween uit haar donkere ogen. "Wat weet je van de Kuksu?"

"Alleen wat ik gelezen heb."

"Er is niet veel geschreven."

"Maar ik verslind alle boeken. Over verslinden gesproken… lunch?"

Melissa lachte aarzelend.

We vonden een koffiehuis verderop in de straat. Marnie Starr was onze serveerster. Ze schrok toen ze me in de gaten kreeg en knoeide bijna koffie op een klant, maar tegen de tijd dat ze onze tafel bereikte, had ze haar zelfbeheersing weer teruggevonden.

“Hoe gaat het met je?” vroeg ik.

“Goed. Het menu van de dag is gehaktbrood.” Ze kraste met haar potlood op haar blok.

“Al wat van Ted gehoord?”

“Nee.” Ze keek op, met een afkeurende blik. “Hij wordt gezocht, dankzij jou.”

“Dat heeft hij niet alleen aan mij te danken. Ted zelf heeft er ook aan meegewerkt.”

Marnie keek me lang en onverstoorbaar aan. Toen draaide ze zich op haar hakken om.

Toen ze buiten gehoorsafstand was, vroeg Melissa: “Is dit schrijversnieuwsgierigheid?”

“Wat zeg je?”

“Al die vragen.”

“Ik probeerde alleen een gesprek aan te knopen.”

“Kom op, ik weet dat je me niet mee uit eten gevraagd hebt omdat je in mij geïnteresseerd bent. Doe je onderzoek voor een boek?”

“Hoe wist je dat ik een schrijver was?”

“Dat is een domme vraag. In een dorp als dit zijn geen geheimen. Iedereen weet alles van je.”

Ik trok vragend mijn wenkbrauwen op.

Ze haalde haar schouders op. “Kleine stadjes, kleine geesten. Laten we het erop houden dat je weer eens iets nieuws bent om over te praten.”

Terwijl ik probeerde haar gezichtsuitdrukking te doorgronden, zei ik: “Ik geef toe dat ik nieuwsgierig ben naar de dingen die ik van Kevin gehoord heb. Ik voel me verantwoordelijk voor alles wat er gebeurt in Spaniard’s Hollow.”

Melissa’s gezicht zag er even uit als dat van een boos hoofd op een totempaal: “Je kunt het land niet bezitten. Het land bezit jou.”

“Heb je het nu over eigendomsbelasting of iets spiritueelers?”

Marnie kwam terug met onze borden voordat Melissa hier haar licht op kon werpen. Ik deed zout op mijn patat en Melissa keek onder haar roggebrood alsof ze daar een bom verwachtte.

De tonijn bleek de beste te zijn die ik ooit in mijn leven gegeten had – dat moest het zijn of ik was hongeriger dan normaal. Melissa verslond haar eten alsof ik haar uitgehongerd in de woestijn teruggevonden had. Ik zou mijn geld op haar durven inzetten als ze een eetwedstrijd hield tegen Jake.

Marnie kwam terug met een pot koffie en schonk onze kopjes vol. Ze leek te treuzelen om verder te gaan met haar werk. Wilde ze ons afluisteren?

Toen ze ons niet meer kon horen, zei Melissa: "Niemand wil het toegeven, maar er is iets mis met de plek waar we graven. Misschien is er een simpele verklaring voor, maar Kevin is niet de enige die dingen gezien en gehoord heeft. Ik ook."

"Zoals gezang? Vertel me erover."

"Ik heb het gehoord. Het kan de wind door de grotten op de berg geweest zijn, maar ik zeg het je, mijn nekharen gingen ervan overeind staan en ik word niet snel bang."

"Wat is er met Kevins hond gebeurd?"

"Blue? Coyotes, denk ik."

"Denk je dat? Kevin zei dat de hond aan stukken gescheurd was."

Melissa zei langzaam: "Ik zal je vertellen wat ik denk. Ik denk dat iemand niet wil dat het verleden opgerakeld wordt."

"Hebben we het over bovennatuurlijke personen of over iemand van hier?"

"Ik geloof niet in geesten," zei Melissa.

"Geloof je in sabotage?"

Er was een zekere schittering in haar ogen. "Het is niet iets wat ik dóé, als dat is wat je wil weten."

"Geloof jij dat de Bewakers de grot beschermen?"

Ze staarde me aan en zei bitter: "Mensen drijven de spot met de dingen die ze niet begrijpen. Dingen waar ze bang voor zijn."

"Ik spot niet. Ik stel een vraag."

"Ik neem aan dat je ook niet bang bent?"

Daarop hoefde ik niet te antwoorden omdat Marnie de rekening kwam brengen. Ik pakte ze op.

"Nee, dat doe je niet," zei Melissa en greep ernaar. Ik hield het ticket buiten haar bereik – oude gewoontes, denk ik.

"Kom op," overreedde ik haar. "Ik wil gewoon voelen hoe het is om zo'n ouderwetse tirannieke grootgrondbezitter te zijn. Of een ouderwetse seksist."

Ze keek me nauwlettend aan, maar gaf zich gewonnen. Ik heb nog nooit een student ontmoet die geld genoeg had.

"Aangezien je zo van legendes houdt," zei ze, "zal ik je er nog een vertellen over Abraham Royale."

"Ja?"

"Nadat zijn tweede vrouw ervandoor ging, begon Royale zich te herinneren hoe trouw en gehoorzaam zijn eerste vrouw was geweest. Hij herinnerde zich haar vriendelijke manieren en lieve lach. Hij herinnerde zich haar toewijding aan hem, die ze op honderden liefhebbende manieren had uitgedrukt, en hij ging naar San Fransisco, naar Chinatown, om haar te zoeken."

Melissa zweeg even. Terwijl ik opkeek van het uitrekenen van de fooi, knikte ik aanmoedigend.

"Royale zocht en zocht maar de vader van het meisje was overleden. Er was geen andere familie. Hoewel hij navraag deed bij alle buren, wist niemand waar Li Kei heen was gegaan. De hele dag bleef hij naar haar zoeken. Toen het nacht werd kwam hij aan bij een verlaten huis in het slechtste deel van de stad. Hij ging naar binnen en tot zijn verbazing zat zijn eerste vrouw daar te spinnen –"

"Spinnen?"

"Nou ja, of wat het ook was dat die Chinese meisjes de hele dag deden. Borduren of weven of zo."

"Hebbes." Ik merkte dat Marnie weer bleef rondhangen. Misschien had ze de tafel nodig.

"In de ogen van Abraham leek het of Li Kei nauwelijks veranderd was. Alsof er geen dag voorbij was gegaan sinds hij haar had achtergelaten op haar vaders stoep. Hij staarde en staarde en vond de moed niet om te spreken. Eindelijk keek Li Kei op van haar werk en zag haar voormalige echtgenoot, die op zijn knieën viel. Hij vertelde haar wat een dwaas hij was geweest en hoeveel hij van haar hield, hoe hij overal naar haar gezocht had, hoe ze altijd in zijn gedachten was gebleven en hoe hij iedere nacht droomde van haar zachte zwarte zijdeachtige haar." Melissa gooide haar eigen zachte zwarte zijdeachtige haren over haar schouder.

"En ze zei?"

"Li Kei huilde en zei dat ze nog steeds van Abraham hield en dat ze dag en nacht had gebeden om zijn terugkomst." Melissa stopte de laatste hap van haar komkommer in haar mond. "Dus gingen ze naar bed –"

Kauwgeluiden.

"En?"

"En toen Royale de volgende morgen wakker werd kwam hij erachter dat hij een skelet in zijn armen hield, met lang zwart haar dat om zijn handen en nek gewikkeld zat."

Ze stopte toen ik grinnikte.

"Dat klinkt bekend. Zoals in die film met spookverhalen van Kobayashi: *Kwaidan*. Het verhaal heette 'Het zwarte haar', geloof ik."

Melissa keek me nadenkend aan en barstte toen in lachen uit. "Of *Ugetsu* van Mizoguchi. Je bent de eerste die het opmerkt." Ze haalde smalend een schouder op. "Hoe dan ook, het is een goed griezelverhaal."

Tegen de tijd dat ik Basking verliet was de blauwe lucht grijs geworden en viel er een aprilbui uit de lucht. De wolkenveren boven de bergen beloofden sneeuw.

Jake zou waarschijnlijk eerder terug moeten komen van zijn vistripje. Ik wist niet hoe lang hij erover zou doen om terug te komen want ik wist niet hoe ver hij was getrokken om zijn tweede favoriete sport te beoefenen.

Mijn kansen afwegend dat ik ingesneeuwd zou raken met Jake, vroeg ik me af of dat een goed idee was. Niet dat we zonder eten zouden komen te zitten, concludeerde ik met een blik op de papieren zakken op de achterbank. Veel rood vlees, veel koud bier – het was alsof je een leeuw met een drankprobleem voerde.

Aan het begin van Stagecoach Road parkeerde ik, stapte uit en controleerde de brievenbus.

De regen kwam nu met bakken uit de hemel; al het groen was donker en glanzend. De geur van pijnbomen en natte aarde drong in mijn neus.

De regen tikte op de brievenbus toen ik het deurtje opende.

Ik weet niet zeker wat me redde. Boven het geluid van de regen uit hoorde ik iets anders, een ander geklater, bijna sissen. Vaag zag ik iets bewegen in de brievenbus, een paar folders bewogen. Ik trok mijn hand terug en sprong achteruit.

De slang viel aan in de leegte die ik achterliet.

Terwijl ik daar stond te kijken herkende ik de onmiskenbare driehoekige kop van een ratelslang.

Ik zette nog een paar stappen achteruit, wreef over mijn hand en controleerde nog eens of ik niet was gebeten. Ik was zo geschrokken dat ik zelfs niet schreeuwde. Het verrassende was dat mijn hart het niet begaf. Sterker nog, toen het weer begon te slaan, was het bijna regelmatig. Hou die vrolijke gedachte vast, zei ik tegen mezelf met een blik op de ratelslang die zich terugtrok in de brievenbus. Vanuit zijn schuilplaats keek hij naar me, zijn tong flitste in en uit.

Ik ging weer in Jakes auto zitten, vond mijn mobiele telefoon en belde om hulp.

Nog geen half uur later verscheen de inmiddels bekende zwartwitte auto, die met zijn gigantische banden grind en modder opspatte. Billingsly en de altijd aanwezige Dwayne stapten uit, ze droegen gele regenjassen.

"Ik had kunnen weten dat jij het was," zei Billingsly somber.

Ik legde de situatie uit. Alsof het iets heel alledaags was, reikte

Dwayne achter in de auto en haalde er een lange haakvormige stok uit. Binnen een paar minuten hadden ze de slang uit de brievenbus gehaald, op de weg gelegd en afgemaakt. Tot zover de bescherming van wilde dieren.

Billingsly krabde aan zijn grijs-witte baard. "Het was maar een kleintje," stelde hij me gerust, "hoewel hun beten het ergst kunnen zijn. Die jonkies weten nog niet hoe ze moeten doseren. Ze geven je meteen de volle laag."

"Wel vreemd, die slang daarin," zei Dwayne tegen zijn baas.

"Yep, dat is vreemd, hoewel ik het wel vreemder heb meegemaakt. Ik herinner me dat ik eens –"

"Je gaat me toch niet vertellen dat je denkt dat het een – een natuurlijk iets is!" onderbrak ik hem.

Billingsly keek me fronsend aan. "Wat denk jij dan dat het is, English?"

"Ik denk dat iemand die slang in de brievenbus heeft gestopt."

Hij schudde zijn hoofd bij zoveel onwetendheid. "Je zult versteld staan waar slangen allemaal in kruipen. Bij Dwayne zat er op een keer een slang om het handdoekenrek gewikkeld in de wc."

"De wc bóven," voegde Dwayne eraan toe alsof daarmee alles duidelijk werd.

Woest zei ik: "Een slang kan niet omhoog klimmen in een brievenbus en dan zelf de klep dichtdoen."

Ze staarden me aan. Er drupte regen van de rand van Billingsly's hoed.

"Dus wat suggereer je nou? Je denkt dat iemand expres die slang daarin gestopt heeft? Waarom? Om iemand te bijten? Misschien de postbode? Of misschien jou?"

Ik had eerlijk gezegd nog niet aan de postbode gedacht.

"Om mij te bijten. Verdomme, weet ik veel! Misschien om me bang te maken. Ik weet alleen dat die slang daar niet zelf in is gekropen. Of per ongeluk."

De sheriff zei geërgerd: "Weet je, voordat jij hier was gebeurde er nooit zoiets."

"Dit is mijn schuld, of wat?"
"Ik zeg gewoon hoe ik het zie."
En kennelijk keek hij niet verder dan zijn van drank glimmende neus lang was.
Ik zei zo rustig mogelijk: "Bedankt voor jullie hulp. Ik neem aan dat jullie geen proces verbaal willen opmaken of iets dergelijks?"
Dwayne teemde: "Oh, dat doen we heus wel hoor."
Ik was alweer op weg naar de auto toen Billingsly's volgende woorden me deden verstijven.
"Niet zo snel, English. We wilden je sowieso zien."
De manier waarop dat gezegd werd, stond me niet aan. Ik vond het niet prettig hier te staan terwijl ik met de minuut kouder en natter werd. Ik verlangde naar de troost en de veiligheid van thuis, mijn rustige winkel, mijn saaie doodgewone leven waarin mijn grootste probleem was of ik ooit iemand zou vinden om mijn saaie doodgewone leven mee te delen.
"Wat is er?"
"We proberen een naam te vinden bij dat lijk dat jij vond."
"Welk van beide?"
Die liet hij voorbijgaan. "Mevrouw Jimson van de kruidenier zegt dat jij haar vrijdagochtend vertelde dat je die avond bezoek verwachtte. Nu weet ik dat dat niet je politievriendje was, want ik heb hem zelf gebeld zaterdagnacht. Dus waar is die andere gast van je? Wat is er met hem gebeurd?"
Mijn mond viel open. Ik bleef staan terwijl de regen in mijn gapende mond naar binnen viel.
"Er was geen gast. Die had ik verzonnen."
Billingsly en zijn hulpje wisselden een blik van verstandhouding uit en kwamen dichterbij – eigenlijk denk ik dat alleen Billingsly zijn gewicht verplaatste, maar ik was verbijsterd.
"Maar ongetwijfeld..." Mijn stem begaf het opeens en ik moest het nog eens proberen. "De lijkschouwing zal toch uitwijzen hoe lang hij al dood was."
"Yep."

Yep? Wat betekende dat? Ik was geen expert, maar de dode man zag eruit alsof hij daar al een tijdje had gelegen. Langer dan een week.

Dag trots, dag waardigheid. Ik wauwelde: "Jullie moeten me geloven. Er was niemand anders. Ik heb dat gezegd omdat het hier zo eenzaam is. Ik zei het in een opwelling. Ik was bang. Ik ben het gewend om in Los Angeles te wonen."

Ze staarden me net zo stompzinnig aan als koeien aan de kant van de weg. Dat effect werd nog verhoogd door Dwayne die op zijn pruimtabak stond te kauwen.

Billingsly zei langzaam, grimmig: "Jij bent van de andere kant, hè?"

Het was moeilijk om uit mijn woorden te komen, met mijn hart dat als een wilde tekeer ging. Elke homo krijgt deze vraag op een bepaald moment te horen, op net zo'n toon, misschien in iets andere bewoordingen. Ik weet niet wat dapperder is: op de barricades staan of gewoonweg de waarheid niet ontkennen. Wat ik wel weet is dat ik al mijn krachten nodig had om te zeggen: "Ik ben homo, als dat je vraag is."

"Je maatje, Riordan. Ook zó?"

"Dat moet je hem vragen."

Dwayne spoog een fluim met pruimtabak uit vlak bij mijn laars.

Ze staarden me nog steeds aan.

Waarom wachten op de wet? Laten we hem opknopen! Behalve dan dat zij de wet waren.

"Ik zeg het je eerlijk, ik vertrouw je niet, English," zei Billingsly recht voor zijn raap.

"Luister," zei ik. "Waarom zou ik er zo'n punt van maken dat de dode man in de schuur niet degene is die ik donderdagavond vond? Waarom zou ik jullie aandacht op hem vestigen als ik hem vermoord had? Is dat slim? Is dat logisch?"

"Hoe moet ik verdomme weten hoe slim en logisch jij bent?"

Billingsly zag dat ik daar geen antwoord op had en voegde

eraan toe: "Ik heb het één en ander nagetrokken. Dit is niet de eerste keer dat je betrokken bent bij moord."

"Een homo-moord," verduidelijkte Dwayne.

"Dat gebeurt jou nogal eens."

Dwayne lachte alsof dat geen wonder was.

"Oké, oké. Hoe zit het met dat pistool waarmee hij neergeschoten is? Ik heb geen pistool. Je kunt het huis doorzoeken als je wil."

Ik wist dat het een vergissing was op het moment dat de woorden mijn mond verlieten. Mijn grootmoeder had een geweer en minstens twee revolvers ergens in dat huis – als Ted ze tenminste niet verpand of gestolen had. Maar verbazend genoeg ging de sheriff niet op mijn aanbod in. Hij kreeg echter wel een argwanende blik in zijn ogen alsof hij zojuist zijn grootste troef had gevonden.

"Zeker, dat zou je wel willen. Zodat je de advocaten van het ACLU op mijn dak kunt sturen."

"We zouden voor een huiszoekingsbevel kunnen zorgen," suggereerde Dwayne. Zijn oren en neus werden rood van de kou. Er hing sneeuw in de lucht.

Misschien bevroren de woorden in mijn keel. Of misschien kon ik echt niet bedenken wat te zeggen. Het gebeurt niet vaak. Ik stond daar maar met mijn mond vol tanden.

Billingsly priemde nadrukkelijk met zijn vinger in mijn richting. "Waag het niet om de stad te verlaten, English."

"Het enige wat erger is dan opera is iemand die mee humt met opera."

Het was bijna vijf uur toen Jake binnenkwam. Hij was zonverbrand, nat, en rook vaag naar vis. Verdomde sexy. Vraag me niet waarom.

Ik stopte met typen. "Zet uit."

Jake reikte over mijn schouder en zette de cd-speler uit, waardoor hij Bocelli in het midden van een hoge noot afbrak.

In de stilte kon ik de regen op het dak horen roffelen.

"Ben je opgeschoten?"

"Een beetje. Jake –" Ik wilde me omdraaien in mijn stoel.

Hij sloeg zijn gespierde armen om me heen. "God, ik sterf van de honger." Hij drukte zijn mond tegen mijn nek en liet een grom horen die diep uit zijn keel leek te komen. De stoppels op zijn koude kaak schraapten langs de mijne.

Zenuwachtig sprong ik overeind en gaf hem daardoor bijna een oplawaai op zijn kin. Hij liet me los en lachte.

"Wat denk je van vis voor het eten?" Zijn grijns leek schever dan normaal.

Shit shit shit. De timing was helemaal verkeerd. Ik deed dit, hij deed dat.

"Vis is goed als ik hem maar niet hoef schoon te maken."

"Ik maak hem wel schoon," zei hij. "Jezus, ik wil zelfs koken als jij de afwas maar doet."

"Deal."

Hij liep terug naar de keuken. Ik stond op en volgde hem.

"Jake?"

Aan de andere kant van de keuken bleef hij staan, zijn hand op de deur naar de tuin.

"Ik – eh – er zat vandaag een ratelslang in de brievenbus."

Hij knipperde niet eens met zijn ogen.

Ik ging verder. "Ik heb de sheriffs gebeld en ze namen het niet echt serieus, maar – nou ja, Billingsly vertelde me dat ik de stad niet mag verlaten."

"Dat je de stad niet mag verlaten?"

"Inderdaad."

Ik wachtte op de uitbarsting, de explosie. Maar Jake zei rustig: "Dat is bullshit. Tenzij hij je daadwerkelijk beschuldigt kan geen enkele agent je bevelen dat je de stad niet mag verlaten. Wat hou je voor me achter?"

"Ik vertel het je nu."

"Waar is die brievenbus?"

"Aan de hoofdweg."

"Wat deed je daar?"

Ik probeerde het luchtig te houden en glimlachte. "Dit lijkt wel een ondervraging."

"Waarom was je aan de weg?" Luid en duidelijk.

"Ik ben naar het dorp gereden om boodschappen te doen en een *Titus* te halen." Toen hij me nietszeggend aankeek, ging ik verder: "*Titus Andronicus.* Het stuk waarop ik mijn boek –"

"Je speelde detective."

"Niet echt."

"Jawel, dat deed je wel."

"Ik heb een paar dingen opgezocht, dat is alles. In de bibliotheek. En het Royale House."

Hij staarde me glazig aan.

"Ik weet dat jij denkt dat ik me dingen verbeeld –"

Jake liep weg. De hordeur sloeg met een klap achter hem dicht.

"Je kunt me maar beter vertellen waar je achter bent gekomen," zei Jake terwijl hij zijn bord van zich af schoof.

Ik had naar de resten van mijn avondeten zitten staren en bestudeerde het vissenoog van de forel dat op mijn bord lag. De stem van Jake deed me opschrikken uit mijn niet al te prettige gedachten.

Tijdens de maaltijd waren we beleefd maar gespannen geweest. Het eten was goed, maar ik had geen honger. Jake bakte de vis, kookte rijst met knoflook, koriander en groene uien. Ooit zou hij een geweldige echtgenote zijn voor een vrouw. Ik flanste een fantasieloze salade in elkaar van spinazie en wilde sla en ontkurkte één van de onverwacht lekkere flessen Californische wijn die ik had gekocht in de supermarkt. Ik dacht dat de wijn zou helpen. Of dat ik me in ieder geval minder bewust zou zijn van Jakes afkeuring.

We draaiden om elkaar heen in de keuken. We spraken niet met elkaar, behalve wanneer hij me vroeg waar iets was.

De stiltebehandeling ging ook tijdens het eten door. Ik vond het niet leuk. Het deed me denken aan de manier waarop Mel reageerde als hij boos was. Mijn reactie was om te veel te gaan drinken; het hielp minder goed dan ik had gehoopt.

Ik gooide mijn servet bovenop de resten van de vis. "Geef me eerst eens hierop antwoord. Stel dat iemand Spaniard's Hollow wil beschermen?"

"Waartegen?"

"Uitbuiting. Heiligschennis? Volgens de Kuksu was het een heilige plek."

"Wat is de Kuksu?"

Ik geloof dat het Mark Twain was die zei: "Ken de feiten, daarna kun je ze verdraaien zoveel je wilt."

"Een geheim genootschap van mannen en vrouwen, een religieuze sekte waarvan de leden gekleed gingen in complexe kostuums die geesten of goddelijke wezens voorstelden."

"Vertolkten ze de geesten van de doden?" Jake leunde achterover op zijn stoel en leegde zijn glas. Hij dronk nu zelf ook flink, maar hij was meteen met de vijfentwintig jaar oude whisky uit het drankkabinet begonnen.

"Klopt. De Kuksu houden verband met de Miwok, dat is één van de belangrijkste stammen in deze streek. Dat verhaal dat Melissa ons gisteravond vertelde is een scheppingsverhaal van de Miwok."

"Leidt dit ergens toe?"

"Melissa is een Miwok."

Geen reactie van Jake.

Ik ging door. "Er is nog iets. Toen we kinderen waren, had Melissa het er vaak over dat ze op ratelslangen ging jagen met haar vader. Ik weet dat dat waarschijnlijk opschepperij van een kind was. Ik weet dat het vaag is, maar..."

Jake zei ongeduldig, "Het is van horen zeggen. Het is gelul."

"Kijk, ik beschuldig haar nergens van. Je vroeg wat ik had ontdekt." Ik besloot tot later te wachten voor ik Jake over mijn gesprek met Mel vertelde.

"Denk je dat Melissa die slang in je brievenbus heeft gestopt? Denk je ook dat zij de zwerver in de schuur heeft vermoord? Waarom?"

"Dat zeg ik niet. Ik wíl niet denken dat Melissa er iets mee te maken heeft. Het is een theorie. Misschien heeft het één niets met het ander te maken. Misschien was de slang alleen bedoeld om me bang te maken. Zij weet niet dat ik een slecht hart heb. De verhalen die ze gisteravond vertelde waren zeker weten bedoeld om mensen angst aan te jagen. Alles wat in dat kamp gebeurd is, is gedaan om de mensen af te schrikken."

Jake zweeg. Hij liet het ijs in zijn whiskyglas cirkelen. Het maakte een koud boos geluid. Eindelijk zei hij iets. Zijn commentaar was: "Hoe komt het dat je niet gebeten bent?"

"Geluk. Het was koud in die metalen doos. Ik denk dat de slang traag was."

Geen commentaar.

"Ik weet niet waarom je hier boos over bent," zei ik.

Hij leek zijn woorden te wikken. "Dat ben ik niet."

"Nee?" Ik kon er niets aan doen dat ik sarcastisch klonk.

"Laat me uitpraten. Ik denk dat je er tot je nek in zit. En dat is een probleem voor ons allebei."

"Dat hoeft niet. Ik heb je niet gevraagd hierheen te komen. Ik vraag je niet te blijven."

"Ja tuurlijk. We weten allebei dat ik niet zomaar weg kan lopen."

Ik hield me in. Het kostte me moeite.

"Fijn, Jake, wat denk dat jij dat ik moet doen? Terug naar LA gaan en vergeten dat er twee mannen zijn vermoord?"

Zijn ogen vernauwden zich.

"Is dat wat jij zou doen?"

"Jij bent mij niet."

"Maar dat is wat jij vindt dat ik zou moeten doen?"

Er leek een innerlijke strijd plaats te vinden.

"Adrien, er worden iedere dag mensen vermoord. Sinds wanneer is het jouw werk om erachter te komen wat er met ze gebeurd is?”

“Gewoonlijk word ik er niet van verdacht ze vermoord te hebben.”

“Zolang ik jou ken word je dat wel.” Zijn droge humor verraste me.

“Heb je een plan?” vroeg Jake. “Of wil je hier gewoon blijven rondhangen tot iemand een kogel door je heen jaagt?”

Nou, dat was nog eens een prettige, positieve gedachte om mijn hart op te richten.

“Begrijp je wel dat je gearresteerd zou kunnen worden?”

Ik keek omlaag naar mijn lege glas. “Ik heb niets gedaan.”

“Word eens volwassen! Jezus Christus! Wat is er toch met jou aan de hand? Je hebt een zaak te runnen. Je moet je brood verdienen, weet je nog? Je vertrekt zonder iets te zeggen. Je verstopt je hier... Heb je eigenlijk al een keer de moeite genomen om contact op te nemen met Angus sinds je hier bent? Heb je eraan gedacht hoe het met de winkel gaat? Heb je je moeder al gebeld?”

“Mijn móéder?”

Maar Jake was op dreef. “Je wilt weten wat ik vind? Ik weet niet wat je hier aan het doen bent, maar het lijkt mij dat je je ergens voor verstopt hier.”

“Wel verdomme, Jake, je hebt je roeping gemist. Je had psychiater moeten worden en geen rechercheur.”

Met een klap liet hij zijn stoel weer op zijn vier poten terechtkomen. “Iemand heeft een slang in je brievenbus gestopt omdat jij overal vragen loopt te stellen. Snap je dat? Er is een direct verband.”

“Ja, dat snap ik,” beet ik hem toe. “Ik ben verbaasd dat je het ter sprake brengt, aangezien ik volgens jou overal wat achter zoek.”

Hij staarde me aan. “Wie bén jij? Ik heb het gevoel dat ik je niet ken.”

“Je ként me ook niet,” riep ik uit. “Maar je kent jezelf ook niet.”

Zijn gezicht veranderde in een masker. Hard en gespannen.

Geen emotie, geen gedachte – behalve de ogen achter het masker. Ze glinsterden van woede.

Ik wachtte tot hij de woorden zou zeggen die op zijn tong lagen, de woorden die het tere wat we samen hadden, zouden vernietigen. Mijn hart liep over van angst, mijn handen waren koud en klam. Ik had er een einde aan gemaakt. Ik had er een einde aan gemaakt zonder erbij na te denken of ik wel wilde dat het eindigde.

Ik wachtte.

"Ik ga naar bed," zei Jake afgemeten.

9

Toen ik de volgende ochtend wakker werd kon ik Jake verderop in de gang horen snurken. Nou ja, het moest wel snurken zijn, anders was hij de muur aan het doorzagen.

In de badkamer bekeek ik mijn spookverschijning in de spiegel. Ik zag eruit als een figuur uit een van de legendes die ik tot drie uur vannacht had liggen lezen: het monster uit het blauwe meer, of Sasquatch. Nadat ik ijskoud water in mijn gezicht had gegooid, kamde ik mijn natte haar en trok een spijkerbroek aan.

In de keuken bakte ik bacon en zette koffie.

Jake, gelokt door de geur – of door het geluid van het kopje dat ik liet vallen – kwam de keuken in met een Levi's aan en verder niets, en ging aan tafel zitten. Hij krabde lui en peinzend aan zijn ontzettend platte, harde buik. Ik zette een kop koffie voor hem neer. Hij leunde op de tafel en sloeg zijn handen om zijn kopje alsof hij aan het bidden was.

"Spiegelei of roerei?" Ik hield een ei omhoog.

"Roerei."

Ik klutste het ei en zei: "Luister Jake, ik heb nagedacht over wat je gisteravond zei. En je hebt gelijk. Ik heb besloten terug te gaan naar LA."

Ik keek naar hem vanuit mijn ooghoeken en zag zijn hoofd omhoog schieten als een beer die een bosbrand ruikt.

"Ik moet een paar dingen regelen en dan ben ik hier weg."

Stilte.

"Meen je dat?" zei hij eindelijk.

"Ja."

Weer stilte. Hij dronk wat van zijn koffie, zette het kopje toen neer en zei wat vrolijker: "Nou verdorie, misschien moet ik vandaag maar teruggaan?"

"Dat dacht ik ook."

"Denk je dat dat een goed idee is?"

"Ja. Ik denk dat je meteen na het ontbijt moet gaan pakken. Je hoeft je geen zorgen te maken, want ik ben hier vanavond zelf ook weg."

Hij glimlachte. "Dus als ik meteen ga pakken, kan ik rond de lunch al op weg zijn?"

"Je hoeft geen dag werk meer te missen."

Ik stopte omdat hij lachte.

"Man, je bent me er eentje," zei hij hoofdschuddend.

"Ik volg je niet?"

"Kijk niet zo onschuldig," zei hij. "Je probeert me te lozen."

"Nee. Nee, ik heb nagedacht over wat je gisteravond zei. Echt."

"Hou je kop, Adrien," zei hij. "Ik heb zelf ook nagedacht gisteravond."

Hij zei even niets, toen gaf hij toe: "Ik had een rothumeur tijdens het eten."

"Is dat zo?"

Hij keek me aan. En weer weg. "Het was gisteren mijn verjaardag. Ik heb het moeilijk met verjaardagen."

Dit was wel het laatste wat ik verwachtte. Ik bedoel, natuurlijk was Jake jarig, net als iedereen, maar het toonde wel aan hoe weinig ik van hem wist. Zelfs de meest elementaire dingen niet. Zijn bloedgroep niet. Zijn verjaardag niet.

"Waarom heb je niets gezegd?" Ik kon de toon van mijn stem niet uitstaan, maar ik kon er niets aan doen.

Jake haalde zijn schouders op.

"Hoe oud ben je geworden?"

"De grote 4-0. Veertig." Hij grinnikte schaapachtig.

Acht jaar ouder dan ik. Dat had ik me al afgevraagd. En een stier. Een koppige stierenkop.

"Gefeliciteerd," zei ik hartelijk en liep weer naar het gasstel.

De bacon plopte en spatte in mijn richting.

Ik hoorde een stoel schrapen. Jake kwam achter me staan en sloeg zijn armen om me heen. Grote krachtige armen waarin je makkelijk troost zou kunnen vinden, waarop je zou kunnen gaan rekenen.

Aan mijn oor snuffelend zei hij: "Je ruikt lekker. Wat is dat?"

"Baconvet."

Hij gromde.

Ik kon zijn lichaam tegen het mijne voelen; de harde spieren in zijn dijen en armen, voelde zijn warmte door mijn kleren dringen. Hij rook ook lekker, warm en slaperig en naar hemzelf.

"Wat denk je ervan als jij me vanavond trakteert op een etentje?" Zijn adem streek langs mijn oor.

"Ik kan je op een lunch trakteren en dan kun je voor de nacht terug zijn in LA."

"Nah," zei Jake. "Vandaag gaan we kijken hoe het met onze vrienden in het Red Rover-kamp gaat."

In het kamp leek het net of de gemeenteraad bijeenkwam.

"Denk je niet –?"

"Ik denk," zei Jake terwijl hij zijn portier opende, "dat je moet beslissen wat je hiermee gaat doen. Nu meteen."

Geweldig. Ik had geen idee wat ik hiermee wilde doen.

Kevin maakte zich los van de groep die zich rond de voorraadtent had verzameld, en haastte zich door het gras naar ons toe.

"We hebben de ingang naar de mijn gevonden," riep hij.

We liepen samen over de open plek terwijl Kevin uitlegde dat de ingang van de Red Rover-mijn ongeveer een mijl van het kamp was ontdekt.

Er was een discussie gaande over het wel of niet verplaatsen van het basiskamp.

Iedereen, behalve Melissa, leek er te zijn en iedereen had een mening. Shoup en Kevin waren voorstander van een verhuis. Marquez voerde het hoge woord bij de tegenstanders.

"Moet professor Livingston daar niet over beslissen?" suggereerde ik zacht tegen Kevin, terwijl de argumenten over en weer vlogen.

"Zeker, als we hem zouden kunnen vinden."

"Wat betekent dat?" vroeg Jake op zakelijke toon.

Kevin haalde zijn schouders op. "Hij is niet in zijn hotel en hij had twee dagen geleden terug moeten zijn."

"Heeft hij uitgecheckt?" vroeg ik.

"Dat is het hem juist. Volgens het hotel heeft hij nooit ingecheckt."

"Kan het hotel een fout hebben gemaakt?" vroeg ik, uit ervaring. De generator sloeg aan. Ik moest moeite doen om Kevin te horen boven het geratel en gerammel van de machine.

"Zeker. Dat zal het wel zijn, maar dat verandert niets aan het feit dat hij hier niet is. Niemand op de universiteit heeft nog iets van hem gehoord. Zijn vrouw heeft hem al bijna een week niet gesproken. Ze wist niet dat hij de opgraving had verlaten."

Kevin werd geroepen door professor Shoup, die niet blij leek te zijn toen hij Jake en mij zag.

Ik zei tegen Jake: "Modern huwelijk, hè?"

"Wat?"

"Dat van de Livingstons."

Hij maakte een geluid waaruit ik afleidde dat hij niet echt luisterde, dus liep ik naar professor Marquez die wel blij leek me te zien.

"Ze weten niet wat ze vragen," zei hij verhit tegen me. "Al deze dossierkasten, al deze dozen met artefacten. Die kunnen we niet zomaar in een truck gooien!"

"Wat gebeurt er als jullie het kamp niet verplaatsen?"

"Niets! Het betekent alleen dat we verder moeten lopen van en naar de opgraving. Het is lastig, maar niet zo lastig als alles op te laden en helemaal daarheen te slepen."

Hij keek me onderzoekend aan, een speculatieve glans in zijn ogen. "Je zou kunnen weigeren ze het kamp te laten verplaatsen. Het is jouw land."

"Ik doe maar net of ik dat niet gehoord heb. Kan ik de mijn zien?"

Na een aarzeling knikte hij. Ik probeerde Jakes blik te vangen en gaf met een knikje aan waar ik heen ging. Hij knikte terug.

Marquez leek niet te willen praten toen we het kamp achter ons lieten en het bos in liepen. Ik nam het niet persoonlijk op; hij was geen praatgraag type.

"Hoe zit dat met de verdwijning van professor Livingston?" vroeg ik toen we de groeven volgden van de oude postkoetsweg. In de vage sporen groeide gras en wilde bloemen, maar het pad was er nog steeds en het leidde ons recht het verleden in.

Marquez hield halverwege een stap stil. "Verdwijning? Waar heb je het over?"

"Kevin zei dat niemand meer van hem gehoord heeft sinds hij hier vertrokken is. Hij zei dat hij volgens het hotel nooit ingecheckt heeft."

"Dat is niet waar. Hij heeft meerdere keren gebeld." Marquez stond nu helemaal stil. Met zijn donkere ogen keek hij me door zijn dikke glazen aan. "Het hotel is zijn reservering kwijt. Wat is daar vreemd aan?"

"Niets, denk ik." Marquez draaide zich om en liep voorop door de begroeiing. Ik zei tegen zijn rug: "Als Livingston ieder moment terug kan komen, waarom wachten jullie dan niet op hem om te beslissen of het kamp verplaatst moet worden?"

Ik verwachtte niet dat ik antwoord zou krijgen, maar toen bleef Marquez opnieuw staan en draaide zich naar me om. "Waarom? Ik zal je zeggen waarom. Lawrence – professor Shoup – gaat niet zitten wachten tot Daniel terug is. Misschien klap ik uit de biecht, maar het is geen geheim dat hij de eer wil krijgen voor zijn vondst. Die zal hij niet willen delen. Niet als hij de keus heeft."

"Ontgaat me soms iets? Wat heeft het verplaatsen van het kamp te maken met de eer krijgen voor het vinden van een oude mijn?"

Niets.

"Een verloren gewaande mijn," verbeterde Marquez me.

"Oké, een verloren gewaande mijn."

Marquez haalde diep adem en zei: "Misschien begrijpt u dat

niet, maar een vondst, een archeologische vondst van betekenis, kan het verschil maken – academisch gezien – tussen leven en dood."

Ik bukte me voor een zwiepende tak die achter Marquez terugzwaaide. "Waarom zou de Red Rover-mijn een archeologische vondst van betekenis zijn?"

Hij zweeg.

Hij had gelijk, ik begreep het niet. "Ik kan bijna geen gegevens vinden over het bestaan van deze mijn. Waarom zou de ontdekking ervan van betekenis zijn?"

"Dat zóú kunnen."

"Waarom?" drong ik aan.

Marquez zei met tegenzin: "Omdat Royale een rijk man was toen hij stierf – en niet door een bruidsschat."

Dat liet ik even tot me doordringen. "Denk je dat er nog goud te vinden is in de mijn?"

"Waarschijnlijk niet, maar je weet nooit." Hij lachte wat vriendelijker naar me. "Fijn voor jou, hè?"

Er zit goud in die heuvels!

Ik opende mijn mond om een stroom van twijfels vrij te laten, maar ik werd afgeleid door Marquez die naar de heuvelrug voor ons wees.

"Daar is het. Dat is de ingang van de mijn."

Ik tuurde langs Marquez heen en kreeg een opening in het oog, half bedekt met planken, die de ingang van een grot leek te zijn; uit de gehavende mond kwam kille lucht. Er groeiden jonge boompjes uit de bergrug, die het houten geraamte van de mijn verborgen. Begrijpelijk dat men er zo lang overheen gekeken had.

"Wie heeft hem gevonden?" vroeg ik.

"Melissa. En Kevin."

"Is er al iemand naar binnen geweest?"

"Nog niet. Het is misschien niet veilig." De glazen van Marquez' bril glansden verblindend in de zon. "De trap naar beneden lijkt verrot."

Voorzichtig liep ik naar de opening en gluurde tussen de planken door naar binnen. Het was binnen aardedonker. Ik kon niets zien. De adem van de mijnschacht voelde ijskoud en klam tegen mijn gezicht. Ik dook weer achteruit.

"Kijk uit voor slangen," waarschuwde Marquez. "Een paar dagen geleden zat er eentje in het kamp. Ze zijn in deze tijd van het jaar nogal lichtgeraakt. Ze vervellen nu."

Ik draaide me om en staarde hem aan. "Wat is er met de slang gebeurd?"

"Professor Shoup heeft hem gedood en begraven."

Een gedachte ging door mijn hoofd – en bleef hangen. Ik kon me gewoon niet voorstellen dat "Indiana Bones" babyratelslangen tussen de reclamefolders in mijn brievenbus zou stoppen.

En toch had iemand dat gedaan.

"Weet je zeker dat dit de goede mijn is?" vroeg ik terwijl we weer terugliepen naar het kamp.

Marquez bleef abrupt staan. Hij nam me op alsof hij me ervan verdacht grappig te willen zijn.

"Het is de énige mijn," zei hij beslist.

We vierden Jakes verjaardag bij La Chouette, een eeuwenoud houten gebouw van twee verdiepingen met een veranda vol blauwe regen en een kok die in Parijs gestudeerd had.

"Frans eten?" zei Jake aarzelend. "Wat is dat? Sauzen en slakken?"

"Ik weet zeker dat ze een paar recepten hebben voor rood vlees. Volgens de gids is dit de beste tent van de streek."

Hij dacht erover na. "Zolang ik maar geen stropdas hoef te dragen," gaf hij zich uiteindelijk onwillig gewonnen.

We droegen geen van beiden een stropdas. Sterker nog, we hadden allebei een spijkerbroek aan. Dat was ook alles wat we hadden. Jake had de zijne aangevuld met een strakke zwarte coltrui die zo sexy leek dat hij model had kunnen staan voor de *Under Gear*-catalogus.

We trapten af met drankjes in de gezellige saloon-bar en gingen toen naar de veranda om te eten. Het was een mooie, zachte avond; terrasverwarmers maakten overuren om dat zo te houden. Verdwenen mijnen, ratelslangen en lijken, het leek iets wat alleen andere mensen overkwam in verre melkwegstelsels.

"Hoe gaat het met je boek?" wilde Jake weten. Hij was halverwege zijn *délice de veau* en wilde een beleefd gesprek op gang brengen.

"Het gaat wel," zei ik, reikend naar de fles Merlot van dertig dollar. "Wat waren dat allemaal voor telefoontjes die je vanmiddag pleegde?"

"Gewoon een paar ideetjes controleren."

"Zoals?"

Hij schoof zijn glas naar me toe. Ik vulde het en wenkte de ober om nog een fles.

Ik verwachtte dat Jake me zou afschepen, me zou vertellen dat ik daar mijn kleine mooie hoofdje niet over moest breken, maar hij zei uiteindelijk: "Het probleem is dat we niet weten wie jouw zwerver in de schuur is. De meeste moorden zijn binnen achtenveertig uur opgelost omdat er meestal een verband is tussen het slachtoffer en de dader." Hij legde uit: "Rechercheurs vragen zichzelf af wat iemand te winnen heeft bij de dood van het slachtoffer. Wie heeft er voordeel van? Maar als we het slachtoffer niet kennen, is het moeilijk een verband te vinden."

"We kennen Ted Harvey."

Hij zuchtte, maar besloot kennelijk het zo te laten.

Ik slikte een hap *coq au vin* door en zei: "Stel je voor dat Harveys dood niets te maken heeft met drugs?"

Hij overdacht dit. "Waarop baseer je dat?"

"Op het feit dat iemand Harveys caravan doorzocht."

"Ik volg je niet."

"Wat zouden ze moeten zoeken?"

"Harvey," zei Jake zonder aarzelen. "Of geld. Wat denk jij dat ze zochten?"

"Jake, als we te maken zouden hebben met drugsrunners, denk je dan niet dat hun aanpak directer zou zijn? Verdoen drugsbazen hun tijd aan spelletjes met slangen en mensen neerslaan? Zouden ze niet gewoon met automatische wapens binnenkomen en ons neermaaien?"

"Je hebt teveel films van Steven Seagal gezien."

Ik verslikte me in mijn wijn. "En wiens schuld is dat? Bovendien denk ik dat het verplaatsen van een ratelslang een zekere expertise vergt. Je kunt ze niet zomaar bij de dierenwinkel kopen. Je moet er eerst een zien te vinden."

"Misschien."

"Wat weten we over Harvey? Hij was een junk, ja, maar hij was ook een dief en hij was niet vies van een beetje bedrog. Misschien werd hij te ambitieus."

"Denk jij dat Harvey de oorzaak van het lijk in de schuur is?"

Ik schoof de kandelaar aan de kant om zijn gezicht beter te kunnen zien. "Ik weet het niet. Maar je hoorde wat Marnie Starr zei: dat Harvey aan het pochen was over een grote zaak. Waar lijkt dat op?"

"Een drugsdeal."

"Vergeet die cannabis even," zei ik netelig. "Waar lijkt het nog meer op?"

"Wat?"

Ik duwde mijn bord aan de kant. "Dat moeten we uitzoeken."

Jake schudde zijn hoofd en sneed nog een stuk kalfsvlees af.

"Ik heb nagedacht over dat lichaam in de schuur," zei ik.

"Daar twijfel ik niet aan."

"Het is een klein stadje. Hoe kan het dat niemand het lichaam heeft opgeëist?"

"Misschien komt hij hier niet vandaan."

"Hoe is hij hier dan terechtgekomen? Waar is zijn auto? De sheriff moet toch gecheckt hebben bij vermiste personen."

"Ik weet zeker dat je een theorie hebt."

"Misschien weet nog niemand dat hij vermist is."

Een hulpkelner nam snel mijn bord weg. Ik leunde naar voren op mijn ellebogen. "Misschien weet niemand dat hij vermist is omdat tot vandaag iedereen dacht te weten waar hij was," opperde ik.

Jake keek op, een spottende uitdrukking op zijn gezicht: "Professor Livingston, veronderstel ik?"

"Vind je dat zo'n gek idee?"

Hij bracht me van de wijs door te zeggen: "Nee. De gedachte kwam vandaag ook bij mij op. Ik denk dat we Billingsly zover moeten zien te krijgen dat hij iemand van het kamp een blik laat werpen op onze zwerver."

De ober bracht het dienblad met het dessert en Jake koos een wit-zwarte chocolademousse met frambozensaus. Ik bestelde de Hot Brandy Flip die uit drie delen brandy en één deel flip bleek te bestaan. Na een paar slokken begon ik me af te vragen of Jakes mond naar chocola of naar framboos zou smaken.

Om mezelf af te leiden van mijn snel krimpende spijkerbroek vroeg ik: "Dus wat is dat met dat veertig worden?"

Jake haalde zijn schouders op.

"Had je verwacht dat je nu wel inspecteur zou zijn?"

"Nah." Hij keek me kort in de ogen. "Ik had alleen verwacht dat ik... ik weet het niet."

Ik deed een wilde gok. "Dat je getrouwd zou zijn?"

Hij keek me aan. "Ja, misschien. Ik denk dat ik verwacht had nu kinderen te hebben. Mijn eigen gezin."

"Kinderen?" echode ik.

Hij zei verdedigend: "Ik vind kinderen leuk. Ik ben goed met kinderen."

"Echt?"

"Ik heb neefjes en nichtjes."

Jakes biologische klok tikte. Wie had dat kunnen denken? Ik zuchtte.

"Oké, ik doe het. Ik zal je baby dragen."

Hij staarde me aan, hij vond het niet grappig.

"Het is een grapje," legde ik uit. "De waarheid is dat ik geen baby's kan krijgen. Dat heeft mijn dokter me verteld."

"Kijk, je zegt dat ik niet genoeg praat, maar als ik het doe, dan..."

Verdomme. Dat was raak. Ik knipperde een paar keer met mijn ogen. "Sorry," zei ik. "Ik denk dat ik het gewoon niet snap."

Zijn ogen leken amberkleurig in het kaarslicht. "Kan het jou niet schelen dat je nooit kinderen zult hebben? Dat je familielijn bij jou ophoudt?"

"Waarschijnlijk een wijze beslissing, denk je niet?" Toen ik zijn gezicht zag, gaf ik toe: "Ach, verdomme. Ik ben niet het vaderlijke type. Kinderen maken me nerveus. Kinderen en kleine hondjes."

Jake dronk zijn wijn op. Het tere kristallen voetje leek te iel in zijn grote, getaande hand. Het was een hand die ontworpen was voor bierflessen en bokshandschoenen.

"En waarom trouw je niet?"

"Dat ben ik wel van plan," zei hij na een tijdje.

Als scherpe messen in mijn gewonde hart, zoals Will zou zeggen in *Titus Andronicus*. Ik dronk mijn cognac leeg en wilde toen weten: "Iemand die ik ken?"

Hij had waarschijnlijk toch niet geantwoord, maar net op dat moment kwam de ober de rekening brengen. Ik reikte naar het lederen boekje.

"Bedankt voor het eten," zei Jake.

"Graag gedaan," zei ik.

We reden langs het filmhuis toen ik de affiche zag.

"Hé, ze spelen *Captain Blood,*" zei ik. "We zouden de voorstelling van tien uur kunnen zien."

Jake, die sinds het verlaten van het restaurant niets meer had gezegd, zei: "Wat is *Captain Blood?* Zeg niet dat het weer zo'n piratenfilm is."

"Je zult het geweldig vinden. Errol Flynn speelt erin, je favoriete niet-homoacteur."

"Wat is dat toch met jou en piraten?"

"Dat weet ik niet. Mijn diepe en eeuwige liefde voor de oceaan, denk ik."

"Ach, wat kan mij het ook schelen," gromde Jake en we reden naar de parkeerplaats achter de bioscoop, Jake hoopte ongetwijfeld dat we op die manier geen woorden meer vuil hoefden te maken aan een conversatie.

De zaal rook naar oude popcorn. De rode fluwelen zittingen waren net zo haveloos als de vloer vol colavlekken, maar de zitjes waren gemaakt op het formaat van Jake en zaten comfortabel. Bovendien hadden we de hele ruimte voor ons alleen, met uitzondering van de rij tieners die achterin zaten te vrijen.

119 minuten lang verloren we onszelf in de romantische zwart-witfilm uit 1935, met Errol Flynn en Alivia de Havilland, die al vanaf het begin verkondigt dat ze bekend is met piraten en hun verdorven gewoontes: "wreed ende kwaadaardig…" Op dat punt snoof Jake, die zijn lichaam zo gemanoeuvreerd had dat we elkaar niet per ongeluk konden aanraken, en bood me zijn popcorn aan.

Het was een lange rit voor iemand die twee nachten niet geslapen had. Gelukkig was Jake niet iemand die een vrolijk gesprek nodig had om alert te blijven. Ik werd wakker met kramp in mijn nek toen we over het veerooster bonkten op de oprijlaan naar de ranch.

"Sorry. Snurkte ik?" Voorzichtig draaide ik mijn nek.

"Het is meer ronken."

Ik had tenminste niet gekwijld. Ik rekte me uit in de krappe stoel.

We stopten voor het huis. Jake parkeerde en we stapten uit in de ijzige nachtlucht. De wind die vanaf de bergen kwam smaakte naar sneeuw. De wolken waren verdwenen en de lucht schitterde vol sterren. Het licht op de veranda viel over het trapje de tuin in.

Het gebeurde terwijl we naar het huis liepen; ik liep vlak voor Jake, die met de autosleutels rammelde. Iets zoefde langs mijn oor, gevolgd door een knal die echode door de bergen.

Achter me hoorde ik Jake vloeken en het volgende wat ik wist was dat ik tegen de grond sloeg. Hard. Niets is vervelender dan getackeld worden als je het niet verwacht. En de Tai Chi-instructies over het buigen van je armen en het uitstrekken van je handpalmen, haalden ook niet veel uit. Ik klapte tegen de grond, de lucht werd uit me geperst, en Jake viel over me heen. Een tweede geweerschot doorkliefde de nacht. Het geluid leek te weerkaatsen in de verlaten tuin en eeuwig door te rollen.

Ik probeerde er net achter te komen wat er gebeurde toen Jake zich overeind hees en zijn 9 mm afvuurde over mijn hoofd. Het gevolg was dat het vriendelijke welkomstlicht op de veranda uitging.

"Wegwezen," schreeuwde Jake in mijn oor. Zijn stem klonk gedempt, omdat ik half doof was door de knal van zijn automatische pistool een paar centimeter bij mijn trommelvlies vandaan.

Jake rolde van me af en het lukte me overeind te komen en op handen en voeten naar de verandatrap te kruipen. Het was niet meer dan een paar meter maar het voelde als de marathon van LA – of als spitsroedelopen.

Ieder moment verwachtte ik de inslag van een kogel in mijn lijf, die mijn spieren, botten en vitale organen zou openscheuren. Niets is beangstigender dan beschoten worden – behalve misschien een mes op je keel gedrukt krijgen. Het feit dat ik nu beide had ervaren was niet zo'n goede zaak.

Toen ik de veranda bereikte klonk er nog een schot. Jake, vlak achter mij, maakte een onverstaanbaar geluid en riep toen: "Laag blijven!"

Ja, echt waar. Ik had mijn sleutels klaar, al kon ik me niet herinneren ze tevoorschijn te hebben gehaald. Ik knielde voor de deur en probeerde de ene na de andere sleutel in dat verdomde slot, tot ik de goede vond.

Meer schoten. Een kogel sloeg in op de steunbalk van de

veranda achter ons. De andere liet de koebel rinkelen die bij wijze van zelfgemaakt windcarillon in de boom voor het huis hing.

"Tot je dienst," merkte Jake op, lichtelijk buiten adem.

Ik duwde de deur open en hij duwde me de kamer binnen om de deur achter ons dicht te slaan.

Geen schoten meer. Alleen het geluid van ons gehijg vulde de kamer, de takken van de bomen schraapten tegen de buitenmuren, het huis kraakte.

"Waarom schoot je niet terug?" zei ik, naar adem snakkend.

"Hij heeft een geweer, waarschijnlijk met een telescoop. Ik heb een revolver. Hij kan hier een heel eind vandaan zitten." Jake vloog naar het raam, een grote schaduw in de onverlichte kamer.

"Kun je iets zien?"

"Nee."

We wachtten terwijl de wind door de schoorsteen floot.

Jake mopperde: "Als hij ook maar enige hersens heeft, is hij al halverwege terug naar de stad."

"Of terug naar het kamp."

"Goed punt."

Hij sprong op, bleef weg van het raam en trok de zware gordijnen dicht zodat de kamer aan het zicht onttrokken werd. Ik deed hetzelfde aan mijn kant.

Toen de kamer veilig was zei Jake: "Oké, doe het licht aan. Maar – Adrien?"

"Ja?" Ik wachtte even, mijn hand op de schakelaar.

"Niet schrikken. Ik ben geraakt."

"Wat?!" Ik knipte het licht aan.

Jake stond rechtop en inderdaad, zijn linkermouw was doordrenkt met iets dat donkerder was dan de zwarte stof van zijn trui. Iets dat glinsterde in het zachte lamplicht. Het bloed drupte over zijn hand, die hij afveegde aan zijn spijkerbroek.

"Het lijkt erger dan het is."

"Tuurlijk, alleen maar een vleeswond," zei ik stom.

"Het is echt maar een vleeswond." Hij keek me scherp aan. "Je

gaat toch niet flauwvallen, hè?"
Ik schudde mijn hoofd.
"Want je ziet zo wit als een doek."
"Dat is mijn vrouwelijke huidskleur." Ik kreeg mezelf weer onder controle en zei: "We moeten je naar de dokter zien te krijgen."
"Nee. Wat voor verbanddoos heb je hier?"
"Je gaat naar een ziekenhuis, Jake," zei ik. "Ik heb geen zin om doktertje te spelen."
"Voor dit schrammetje?" Hij plantte zijn pistool op de tafel en begon te worstelen met zijn trui.
Ik trok mijn blik los van het wapen. "Inderdaad! Je kunt bloedvergiftiging of loodvergiftiging krijgen of te veel bloed verliezen."
Er was zoveel bloed. Het besmeurde zijn borst en liep door de plooien van zijn bovenarm, het drupte langzaam, maar gestaag. Een dikke druppel raakte de vloer en spatte uit elkaar. Dat beeld brandde zich in mijn hersenen.
"Je gaat nu naar het ziekenhuis." Ik liep naar de deur en Jake, zijn shirt half uit, hield me tegen.
"Wacht even. Misschien heb je gelijk, maar laten we dit volgens de regels doen. We moeten zeker weten dat hij weg is."
"Hij is weg! Hij komt ons niet achterna. Hij weet dat je een pistool hebt. We hebben een telefoon. Hij zal denken dat we de sheriffs gebeld hebben."
Waarom deden we dat eigenlijk niet?
"Laten we dit volgens het boekje doen," herhaalde Jake. "We gaan met de Bronco, die staat dichterbij. Heb je je sleutels?"
Ik hield mijn sleutels omhoog. Ze rinkelden. Ik liet ze weer zakken.
Jake ging terug naar het raam. Hij trok de gordijnen een klein stukje open en stond doodstil, zijn hand op zijn gewonde arm.
Het leek eeuwig te duren voor hij met een vaag lachje zei: "Klaar voor actie."

Ik opende de deur. Gewond of niet, Jake bewoog snel. Hij stoof me voorbij en was het eerst buiten. Als ik alleen was geweest had niets me naar buiten kunnen krijgen. Ik zou hier gebleven zijn tot de cavalerie kwam. Maar voor geen goud ter wereld liet ik Jake zonder mij vertrekken. Ik volgde hem over de veranda.

Er was geen beweging in de tuin. De wind waaide door het wuivende gras en de wilde bloemen daarachter.

"Blijf laag. Laat je niet zien," instrueerde Jake. "Geef me de sleutels."

"Je kan niet rijden."

"Ik ga eerst." Toen ik mijn mond opende om hem tegen te spreken plukte hij de sleutels uit mijn weifelende vingers en glipte de winderige duisternis in.

Ik volgde Jake langs de veranda. Hij klom over de reling en sprong op de grond. Ik volgde meteen en raakte de stoffige grond met een plof die pijn deed aan mijn schenen.

Jakes rare gehurkte loopje imiterend, volgde ik hem richting drinkbak. We waren nog een paar meter verwijderd van de Bronco. Jake beval me om te blijven waar ik was.

Terwijl ik wachtte, brak het koude zweet me uit. Hij spurtte over het open stuk en dook achter de wielen van de Bronco.

Stilte.

De wind zuchtte door de boombladeren.

Toen hij de deur open had, glipte hij snel naar binnen. Ik hoorde de motor brullend tot leven komen. De grote schaduw van Jake gleed voorbij het stuur.

Het was nu of nooit. Ik verkoos nooit, maar dat was geen optie. De benen uit mijn lijf rennend, bereikte ik de auto, sprong erin en sloeg de deur met een klap dicht. Mijn handen trilden toen ik de auto in zijn achteruit zette en met een wijde boog schoten we achterwaarts. We misten op een haar na de boom met de schommel.

"Rustig, rustig," waarschuwde Jake.

Ik schakelde in de eerste versnelling en we scheurden de tuin uit alsof we een Formule 1-wedstrijd reden. De banden van de Bronco schroeiden over de zandweg, we kletterden over het veerooster, en hotsten over elke geul en kuil in de weg terwijl we naar de hoofdweg scheurden.

"Shit, er komt allemaal bloed op je bekleding."

"Die bekleding kan me gestolen worden!"

"Weet ik wel, schat. Rustig blijven."

Toen ik dacht dat ik net zo rustig was als Jake, zei ik: "Bellen we de sheriff als we in het dorp zijn?"

"Niet als je de rest van de nacht vragen wilt beantwoorden. Billingsly kan nu toch niets doen. Morgen kijk ik wel rond. Ik denk dat één van de kogels is ingeslagen op de veranda."

Hij hapte naar adem van de pijn toen we door een diepe put reden.

"Sorry. Weet je zeker dat je niet –"

"De kogel heeft het vlezige deel van mijn onderarm geraakt." Hij probeerde zichzelf in het donker te onderzoeken. "Ik zeg niet dat het niet verdomd veel pijn doet."

"Het spijt me verschrikkelijk, Jake."

"Hou maar op," grauwde hij, "het is jouw schuld niet."

"Jawel. Als ik er niet op had gestaan –"

"Hou je kop."

Ik hield mijn kop. Ook goed. Ik moest me op het autorijden concentreren, aangezien ik honderd reed op een bochtige bergweg.

Een half uur geleden was ik zo moe geweest dat ik dacht niet eens lang genoeg wakker te kunnen blijven om naar de slaapkamer te strompelen. Nu schoot er zoveel adrenaline door mijn lijf dat het voelde alsof ik door kon gaan tot volgende week.

De weg slingerde door het stille woud. Bij elke bocht schakelde ik terug en dan weer hoger, de banden piepten als ik de bocht te snel nam.

Jake zei niets, hij hield zijn hand tegen zijn arm gedrukt.

Ik nam gas terug tot een rustige negentig per uur toen we door de stad reden en stopte bij de EHBO.

We waren de enige klanten na middernacht. Jake legde kalm aan de verpleegster achter de toonbank uit wat er was gebeurd terwijl bloeddruppels op de formica vloer vielen. Ik ijsbeerde onrustig.

"Een schotwond!" riep de verpleegster uit. "Dat moeten we melden."

"Geen probleem," zei Jake. "We zijn van plan het te melden." Hij haalde zijn portemonnee tevoorschijn, maar hij zocht zijn ziekenfondspas, niet zijn badge van de politie.

De verpleegster leidde Jake naar kamer negen en ik viel neer in een oranje plastic stoel in de wachtruimte. Ik voelde me alsof iemand de stekker eruit had getrokken, alsof ik me niet meer zou kunnen bewegen, zelfs al hing mijn leven ervan af.

Een paar minuten later zag ik een dokter in een witte jas de kamer in gaan en de deur sluiten.

Hoe lang zat ik daar als versteend in die oranje plastic stoel? Het leek wel erg lang te duren. Te lang. Ik was niet alleen de enige in de wachtruimte, ik leek wel de enige persoon te zijn in de hele kliniek.

Eindelijk ging de deur open aan het eind van de gang.

Een dokter die ik nog niet eerder had gezien kwam naar me toe. Hij was gekleed in chirurgenkleding en zijn gezicht stond vermoeid en grimmig. Het leek wel of hij in slowmotion bewoog. Mijn hart ging enorm tekeer.

Ik stond instinctief op.

"Het spijt me," zei de chirurg, "we hebben alles gedaan wat we konden."

Ik kon het niet geloven. Ik stond daar en mijn hart ging als een razende tekeer. Mijn lichaam werd afwisselend warm en koud.

"Dit kan niet," zei ik dom.

"Het spijt me."

"Maar het was maar een vleeswond."

“Kerels als Jake zeggen altijd dat het een vleeswond is.”
“Maar –”
“Hij is in shock geraakt en we raakten hem kwijt. Dat gebeurt.”
Ik wist niet wat ik moest zeggen. Ik dacht dat ik waarschijnlijk ook in shock was. Het leek allemaal zo ver weg, de ziekenhuisgang verdween, het felle plafondlicht vervaagde, draaide weg…

10

"Adrien."

Iemand schudde aan mijn schouder.

Ik opende mijn ogen. Jake hing over me heen, fronsend.

Mijn hart ging in de hoogste versnelling.

Ik maakte een geluid en leunde voorover, sloeg mijn armen om me heen om te voorkomen dat mijn hart door mijn ribben uit mijn borst zou barsten, net als de parasiet in *Alien*.

Jake vroeg: "Wat is er? Wat is er mis?"

Ik schudde mijn hoofd, was niet in staat te spreken.

Hij zocht iets in de zakken van mijn hemd. Irritant. Ik zoog lucht in mijn longen, duwde zijn hand weg en ging rechtop zitten.

"Hé," zei Jake, "ben je oké? Adrien?"

De vreemde dokter, zijn bizarre commentaar – natuurlijk was het een droom geweest.

"Ik ben oké," lukte het me te zeggen. Mijn hart wankelde nog, alsof het dronken was en wild heen en weer zwierde, maar nog wel vol vechtlust zat.

"Je ziet er niet oké uit." Hij draaide zich om naar de receptiebalie alsof hij om hulp ging vragen.

Onder andere omstandigheden zou de bezorgdheid in zijn ogen me blij hebben gemaakt. Nu beet ik hem toe: "Laat het! Ik ben oké."

Jake leefde. Om zijn gespierde onderarm zat een helderwit verband.

Verder leek hij in orde. Ik wreef met mijn handen over mijn gezicht en haalde diep en voorzichtig adem. Alles leek volledig in orde, maar de droom had zo echt geleken dat ik nog steeds geschokt en gedesoriënteerd was. En gekwetst.

"Hier."

Hij verscheen weer aan mijn zijde met een bekertje water uit de koeler.

Ik haalde mijn pillendoosje tevoorschijn, duwde het kapje er met mijn duim af en haalde er twee tabletten uit, voor de zekerheid. Ik nam het bekertje aan van Jake. Het karton voelde zompig, te dun om het gewicht van het water te kunnen dragen – net zoals ik me voelde eigenlijk. Alsof ik uit elkaar zou scheuren bij de minste druk.

Als er iets met hem gebeurt door mij…

Als er iets met hem gebeurt…

"Weet je zeker dat je in orde bent?" De bruine ogen keken me doordringend aan.

"Ik voel me geweldig," zei ik ongeduldig. "Hoe is het met je arm?"

"Een beetje stijf. Grappig. Meestal kaatsen kogels van me af." Hij lachte vermoeid.

Ik glimlachte zonder overtuiging terug.

Uiteindelijk checkten we in bij Motel 6, geen van beiden in staat om nog een vuurgevecht af te weren die nacht.

Er is iets veiligs en sereens aan het sobere comfort van een budgetmotelketen, zelfs als je terechtkomt in de kamer naast de ijsmachine. Eén kamer met een kingsize bed. De muren waren versierd met smakeloze aquarellen van villa's in Zuid-Frankrijk, voor reizigers wiens idee van een droomvakantie Branson, Missouri was. Het enige waar ik me druk om maakte was het nachtslot en de ketting die de deur sierden.

Ik deed de deur op nachtslot, schoof de grendel ervoor en staarde door het kijkgat. Er was niemand met een pistool te zien op de parkeerplaats.

"Kabel," zei Jake goedkeurend terwijl hij de tv aan zette.

Ik ging naar de badkamer. Daar draaide ik de kranen bij de gootsteen helemaal open en begon me te ontdoen van wat er nog over was van mijn dure diner. Toen ik niet meer hoefde over te geven, plonsde ik een paar liter ijskoud water in mijn gezicht en poetste mijn tanden met de tandenborstel die je gratis bij de balie kon krijgen.

Toen ik uit de badkamer kwam lag Jake comfortabel languit op bed, met kussens in zijn rug en de afstandsbediening in zijn hand. Hij keek naar de *The Hunted.*

"Ik ga geen 'zie je wel' zeggen," merkte hij op, toen ik naar het bed wankelde.

"Dat waardeer ik," zei ik. Ik tilde mijn kant van de dekens omhoog. Hij droeg een zwarte slip. Zijn lichaam leek net zo hard en gebeeldhouwd als zo'n etalagepop in een ondergoedwinkel.

"Als het een troost kan zijn, zal ik je zeggen dat we volgens mij op het goede spoor zitten. De hinderlaag van vanavond bewijst dat."

Ik liet me achterover vallen op het bed en kreunde opgelucht. Schone lakens – korte lakens, maar schoon. Jake schoof een van de platte, sponzige kussens mijn kant op.

"De volgende vakantie ga ik... ik weet het niet... naar Bretagne," informeerde ik hem. Het leek zo ver weg van de werkelijkheid. Witte zandstranden, kastelen en kleine vissersplaatsjes. Flensjes en appelwijn en kathedralen. Wat kon er veiliger zijn dan dat? "Ik denk niet dat iemand er Engels spreekt. En ik denk ook niet dat ze er geweren hebben."

"Inderdaad," was Jake het met me eens. "Waarom zou je alleen maar de plaatselijke arm der wet op de zenuwen werken?"

Ik propte het kussen op achter mijn hoofd. Het was vreemd om naast hem te liggen, de lakens te voelen die verwarmd werden door zijn lichaam. Hij nam een hoop ruimte in beslag. Als ik mijn been uitstrekte kon ik mijn ijskoude voet op zijn behaarde kuit leggen. Ik bestudeerde zijn gezicht.

Als je nagaat hoe lang ik had gewacht op zo'n kans, zou je denken dat ik die man zou bespringen, maar – jammer maar helaas – had ik hem nog niet omhoog kunnen krijgen als mijn leven ervan af had gehangen.

"Heb je last van de tv?"

Ik schudde mijn hoofd en sloot mijn ogen, gesust door het

klieven van duizenden zwaarden op tv. Er was één ding waar ik niet bang voor was: dat ik zou aangevallen worden door een ninja. Hoewel, als het zo doorging…

Sluimerend hoorde ik Jakes stugge commentaar op de film aan. Ik was me er vaag van bewust dat hij het bedlampje uitknipte. Ik opende mijn ogen. Het scherm van de tv flikkerde in de duisternis, met beelden van ingewanden en, nog beangstigender, Christopher Lamberts enigszins schele ogen.

Jake strekte zijn armen uit, aaide mijn gezicht alsof hij op een onhandige manier aan het braillelezen was. Ik mompelde slaperig en voelde hoe hij door mijn haar woelde.

"Je gaat toch niet dood in je slaap, of wel?"

Ik brabbelde: "Dan ben jij de eerste die het weet."

Hij lachte en trok me naar zich toe. Bijzonder. En omdat ik te uitgeput was deed ik ook niet meer dan me erover verbazen. We lagen tegen elkaar aan, borst tegen borst, lul tegen lul. Yep, het voelde best prettig, zelfs met mijn gezicht in zijn oksel geplakt.

"Waarom zou hij dat verdomme doen?" merkte Jake op, zijn stem dreunend in zijn borst. Hij had zich weer op de film geconcentreerd.

Waarom inderdaad? Ik sloeg mijn arm om hem heen. Geen bezwaar van Jake. Zijn huid voelde glad, het blonde haar kriebelde tegen mijn huid. Hij rook naar ontsmettingsmiddel en Jake.

Mijn oogleden werden zwaar. Luisterend naar het geruststellende kloppen van zijn hart ontspande mijn lichaam zich en viel ik in slaap in het holletje van zijn arm.

Ik werd wakker met een stijve die zo groot was als een kleine torpedo. Ik bleef daar even zo liggen en keek hoe Jake in het vroege ochtendlicht lag te slapen.

In zijn slaap leek hij jonger, de lijn van zijn mond was zacht. Ik bestudeerde het witte gaas om zijn gespierde onderarm. Hij had me eens verteld dat sterke armen en schouders hielpen als je politieagent was; het schrikte boeven en dronkaards af, die wel twee keer nadachten alvorens het op te nemen tegen iemand die overduidelijk in een goede conditie was en regelmatig trainde.

Jake was in een geweldige conditie en hij trainde regelmatig, maar één goedgeplaatste kogel had hem gisteravond het leven kunnen kosten. Ik denk dat ik de dreiging niet te serieus had genomen tot hij degene was die gevaar liep. Niet dat ik dacht dat ik onkwetsbaar was, integendeel. Als je leeft met een levensbedreigende ziekte, raak je gewend aan de gedachte dood te kunnen gaan. Je accepteert het, je gaat door. Wat mij bang maakte was dat ik langzaam en pijnlijk zou sterven, mijn onafhankelijkheid en identiteit zou verliezen door ziekte.

Of dat dacht ik tot gisteravond. Nu realiseerde ik me dat ik nog banger was dat Jake wat zou overkomen. Hij leek zo sterk, zo bekwaam, maar hij was menselijk, hij was kwetsbaar. Hij kon gewond raken, hij kon doodgaan. Misschien was het naïef dat ik hier pas aan dacht nu Jake getroffen was door een kogel, maar zo was het. En alle grapjes over kogelvrij zijn hielpen niet.

Terwijl hij gromde in zijn slaap nestelde Jake zijn gezicht wat gemakkelijker in het kussen. Ik wilde mijn armen om hem heen slaan en mezelf ervan verzekeren dat hij veilig en levend was. In plaats daarvan kroop ik voorzichtig uit bed en liep naar de badkamer om een douche te nemen.

Tegen de tijd dat ik klaar was met scheren, had Jake zich op zijn rug gedraaid, zijn armen uitgestrekt. Hij nam wel tachtig procent van het grote bed in beslag. Ik zat op de hoek van het matras en rolde mijn sokken op.

Ik schrok op toen een warme hand over mijn blote rug gleed.

“Goedemorgen,” zei ik en draaide me om zodat ik naar Jake kon kijken.

“Morgen.”

“Hoe is het met je arm?”

“Pijnlijk.” Hij lachte flauwtjes en legde zijn hand op mijn arm. Zijn vingers omstrengelden mijn vuist, zijn duim streek over mijn pols, waar je de hartslag kon voelen.

Ik waarschuwde mezelf niet te opgewonden te raken. “Wat heb je met je recept gedaan? Ik kan het voor je halen.”

Hij trok aan de arm waarop ik steunde en ik liet me over hem heen vallen. Hij lachte nog steeds, maar zijn ogen waren vastberaden.

Ik probeerde een gevatte opmerking te bedenken.

Zijn mond raakte de mijne en het schoot door mijn hoofd dat het zijn eerste kus met een man was. Het leek of ik die kus ervoer via Jakes maagdelijke zintuigen: de vreemdheid van een harde mannenkaak, de lippen van een man, de structuur van een gladgeschoren wang, zo anders dan de zachte huid van een vrouw. De smaak van een mannenmond.

Het was een onzekere kus, een eerste zoen. Verrassend zacht, verrassend lief.

De tweede kus was niet onzeker en ik ervoer hem niet langer via Jakes zintuigen omdat die van mezelf met me op de loop gingen.

Diep en langzaam, zoekend… Hij legde zijn hand op de achterkant van mijn hoofd, trok me dichter naar zich toe, proefde me. Ik proefde hem ook. We ademden tegelijk, vulden elkaars longen met onze kalme uitademingen.

Toen ik naar lucht hapte zei ik: “Man!”

Hij sloeg speels met zijn knokkels tegen mijn wang. “Hoe lang ben je al op?”

“Nou, als dát geen suggestieve vraag is.”

Zijn mond vertrok, maar hij corrigeerde zichzelf: “Wakker, bedoel ik.”

Ik wierp een blik op de wekkerradio. “Ongeveer drie kwartier. Het spel is begonnen, Watson.”

“Oh, ben ik Watson?”

“Nou…” Ik was geneigd mijn gebruikelijke geestige zelf te zijn omdat Jake met zijn duim over mijn onderlip streek, wat me afleidde. Mijn mond tintelde. Hoe vreemd was dat?

“Hoe vind je het om nu echt een detective te zijn, Meneer Holmes?”

Ik schudde spijtig mijn hoofd.

"Bang?"

"Dat heb je goed."

"Fijn te weten dat ik iets goed doe." Hij kuste me weer toen ik begon te lachen. Mijn mond was open en zijn tong gleed naar binnen. Ik hoorde mezelf een zacht berustend geluid maken. Hij was aan het verkennen, nog steeds voorzichtig, maar niet onzeker. Proeven, proberen. Zijn tong raakte de mijne. Ik raakte de zijne. Het was zo'n bloedhete, nachtelijke kus die normaal leidt tot bloedhete nachtelijke daden – maar deze keer niet.

Jake stopte abrupt en duwde me van zich af, zijn hand streek nog even langs mijn ribben en mijn blote rug in een laatste streling. Ik liet me meevoeren door de beweging en rolde van het bed af. Terwijl ik op zoek was naar mijn schoenen deed ik net alsof ik niet keek hoe hij naar de badkamer schreed, en hoe zijn zware lul tegen het zachte katoen van zijn slip duwde.

Hij deed de deur achter zich op slot; misschien dacht hij dat ik hem zou bespringen onder de douche. Ik ging zitten om een paar telefoontjes te plegen, te beginnen met dat naar meneer Gracen, de advocaat van de familie. Ik legde de situatie over Spaniard's Hollow uit. Tussen de verbaasde stiltes door schraapte meneer Gracen zijn keel en mompelde: "Aha."

Toen ik klaar was met het uit de doeken doen van mijn recente avonturen schraapte hij zijn keel nog een keer en zei: "Meneer English, ik zal mijn – hm – partners moeten raadplegen. Ik zal de – hm – wetboeken van strafrecht moeten raadplegen."

Hij beloofde me terug te bellen. Volgens mij was hij van plan zijn telefoonnummer te laten veranderen zodra hij had opgehangen.

Ik belde Angus, maar er werd niet opgenomen in de winkel. Halverwege de ochtend op een doordeweekse dag, dat was geen goed teken. Ik moest nodig terug naar LA, daar had Jake gelijk in.

Ik probeerde de winkel nog eens, gaf het toen op en belde Lisa. Mijn moeder was thuis om zich voor te bereiden op een van haar eindeloze benefietfeesten.

"Lieveling, waarom heb je mijn telefoontjes niet beantwoord? Ik heb tientallen boodschappen voor je achtergelaten bij Andrew."

"Angus?"

"Angus, dat is het. En Adrien, ik weet dat je het niet prettig vindt als ik het zeg, maar ik denk dat die jongen drugs gebruikt."

Ik keek stuurs naar mijn spiegelbeeld in het donkere tv-scherm. "Lisa, ik ben op de ranch."

"Welke ranch, schat? Oh, je bedoelt die gezondheidsfarm waar ik je over vertelde?"

"Welke gezondheids– ach, laat maar. Lisa, ik ben op Pine Shadow."

Haar adem stokte. "Waarom? Waarom wil je in vredesnaam terug naar die vreselijke plek?"

"Ik ben er aan het schrijven. Lisa, ik wil alleen dat je weet–" Ik stopte. Ik wilde haar laten weten waar ik was voor het geval er iets met me zou gebeuren. Na gisteravond wist ik dat er iets kón gebeuren. Maar dat kon ik haar bezwaarlijk vertellen; ze geloofde nu al dat ik op de lijst van uitstervende diersoorten stond. Ik maakte mijn zin af: "– dat je weet waar ik ben zodat je me kunt bereiken."

"Lieveling, ik wou maar dat je daar niet bleef. Het is er niet erg schoon. En het is zo ver weg van… nou ja, van alles. Wat als er wat met je gebeurt?"

"Het is goed. Ik ben niet alleen."

"Wie is er dan bij je?"

"Een… eh… vriend."

"Wat voor vriend, Adrien?"

Ik keek naar de gesloten badkamerdeur. Ik kon het stromen van de douche horen.

"Lisa –"

"Wat voor vriend?" drong ze aan. En toen, tot mijn verbijstering, zei ze: "Adrien, zeg me alsjeblieft dat het niet die vréselijke politieman is?"

"Hoe weet je dat verd–"

"Die jongen vertelde me dat hij in je winkel was om naar je te vragen. Die grote norse die maar bleef proberen je in de gevangenis te krijgen." Ze was nog steeds verontwaardigd over haar versie van het gebeuren. "Ik hoop dat je daar niet met hém bent, Adrien. Hij is niet van ons soort mensen."

Ik opende mijn mond, maar ze liet me er niet tussen komen.

"En ook al was hij iemand waarop je kon rekenen, jullie zouden daar geen van beiden moeten blijven. Het spookt daar."

"Spoken?!"

"Oh, je weet wel. Dat verhaal van die Indianen, over monsters in de grotten."

"Welke monsters in welke grotten?"

Lisa lachte haar parelende lach. "Vertel me nou niet dat Moeder Anna je dat nooit verteld heeft? Nu ik erover nadenk heeft ze dat hele verhaal vast verzonnen om mij bang te maken. Die vreselijke oude vrouw verafschuwde me gewoon."

Jake kwam uit de badkamer, hij droogde zijn haar af. Dat leidde me nogal af. Ik dwong mezelf bij de les te blijven.

"Welk verhaal, Lisa?"

"Oh, hemeltje, lieveling. Iedere keer dat er een koe verminkt wordt of een wandelaar verdwijnt, geven de mensen de schuld aan ufo's of de Wolfmensen of hoe ze ook heten."

"De Bewakers?" Vanuit mijn ooghoeken kon ik zien hoe Jake zijn hoofd schudde.

"Was dat het?" mijmerde ze tegen zichzelf.

"Vertelde Granna je dat verhaal, Lisa?"

"Het kan ook je vader geweest zijn. Hij plaagde me graag." Lisa zuchtte, een bedroefd, oprecht geluid.

"Maar iemand vertelde het, toch? Is het een echte legende?"

"Een échte legende? Wat betekent dat, lieveling? Op een dag vertelde iemand me een verhaal. Je vreselijke grootmoeder, denk ik. Dat maakt het nog niet wáár."

Ze heeft zo haar momenten, mijn moeder.

Toen ik eindelijk had opgehangen, zei ik tegen Jake: "Melissa heeft dat verhaal over de Verscheuring niet zelf verzonnen. De legende bestaat echt."

Jake had de kern van mijn telefoongesprek al opgevangen. Hij haalde zijn pistool van onder het kussen – wat me even tot nadenken stemde – en zei: "Het waren geen geesten die ons gisteravond hebben beschoten, Adrien."

"Dat weet ik, maar het bewijst wel dat Melissa de waarheid vertelt."

"Het betekent helemaal niks. Wat dan nog als ze het verhaal over de Verscheuring niet verzonnen heeft? Stel dat ze het gelooft. Stel dat ze het gelooft met heel haar hart en zich geroepen voelt het uit te voeren."

"En de hond?"

"Welke hond?"

"Kevins hond. Marquez bevestigde het verhaal dat de hond aan stukken was gescheurd."

"Appels en peren. Een hond is gedood door coyotes. Dat heeft niets te maken met iemand die op ons schiet. Of met het vermoorden van Livingston – als hij het is – was – het lichaam in de schuur."

"Het zou kunnen."

Jake zette zijn handen in zijn zij. "Wil je me nou vertellen dat je gelooft dat Livingston vermoord is door voorhistorische Indiaanse geesten met geweren?"

"Natuurlijk niet."

"Coyotes met geweren?"

"Kom op, Jake."

"Nee, kom jij maar op, Adrien." Hij maakte het veiligheidsslot los en opende de deur van onze hotelkamer. "Kom op," herhaalde hij.

"Waar gaan we heen?"

"We gaan ontbijten en dan gaan we verslag uitbrengen bij de sheriff."

Nadat ik Jake had achtergelaten bij Granny Parker's Pantry snelde ik naar de overkant van de straat om mijn eigen medicijnen te halen, met zijn recept als excuus. Het kon geen kwaad om te zorgen voor een extra ondersteuning voor mijn vrolijke, positieve gedachten, maar ik wilde ook vermijden dat Jake dacht dat ik hem tot last was.

Een paar minuten later, toen ik zat te kijken hoe Jake zijn eigen versie van de Verscheuring opvoerde, zei ik: "Als iemand bij die opgraving iets van plan is, gok ik dat het professor Shoup is."

"Hoezo?"

Ik vertelde hem wat Mel had verteld.

Jake luisterde en zei uiteindelijk: "Mel Davis. Waarom komt die naam me bekend voor?"

"Ik betwijfel of hij een strafblad heeft."

Jake leek niet overtuigd. Tenslotte zei hij: "Davis. Was dat niet die kerel waar jij mee samengewoond hebt?"

Toen ik ervan verdacht werd een seriemoordenaar te zijn had Jake mijn achtergrond net zo grondig onderzocht als de politieke tegenstanders de achtergrond van kandidaten voor het Hooggerechtshof onderzoeken.

"Wat klinkt dat romantisch uit jouw mond," zei ik.

"Jullie zijn vrienden gebleven."

"Natuurlijk. Waarom niet?"

Jake schepte nog wat van zijn eieren en bacon naar binnen. Tenslotte zei hij: "En wat gebeurde er?"

"Mel wist het niet. De universiteit zou Shoup ontslagen kunnen hebben of misschien is hij uit zichzelf weggegaan."

"Nee. Tussen jou en Davis."

Hoewel deze ongebruikelijke interesse vleiend was, wilde ik niet met Jake over Mel praten. Bovendien wist ik het antwoord niet; ik was er zelf nog niet helemaal uit waarom het was misgegaan. Volgens Mel was hij er nog niet klaar voor om zich te binden. Zelf was ik ervan overtuigd dat het meer te maken had met zijn angst dat hij ooit zou opgezadeld zitten met een invalide.

Ik zette mijn jus d'orange neer en zei mat: "We groeiden gewoon uit elkaar, dat is alles."

Jake snoof. "Ja, zo'n zeshonderd kilometer."

Toen de vreetpartij afgelopen was, gingen we naar het hulpkantoor van de sheriff waar ik Jake het woord liet doen. Mijn populariteitspeil was niet bepaald omhooggegaan sinds het akkefietje met de slang en we deden allemaal beleefd of ik er niet was. Jake gaf een kort, accuraat verslag van de schietpartij de avond ervoor, dat hij in drievoud ondertekende.

Ik bestudeerde de 'gezocht'- posters op het prikbord boven een ingedeukte dossierkast, terwijl Jake vroeg of het ze al gelukt was het lichaam in het mortuarium te identificeren.

Nee. Dat was nog niet gelukt.

Jake wilde weten of ze iemand van het archeologenkamp in Spaniard's Hollow hadden gevraagd of ze hem konden identificeren.

Er ging een golf van ongemak door de groep. Sheriff Billingsly ging rechtop staan. "Waar wil je naartoe, detective?"

"Het is maar een idee," zei Jake nonchalant.

Het was iets wat nog niet bij iemand anders was opgekomen en ze leken het er ook niet over te willen hebben.

Toen vroeg Jake naar de kogel die onze zwerver had gedood. Ik wist zeker dat ze hem de deur zouden wijzen, maar dat deden ze niet. Na enige tijd smeet Billingsly een dossier over de tafel. Jake vertelde me later dat in het rapport stond dat de kogel die hem had gedood een .22 kaliber was met een holle punt. Hij was al minstens tien dagen dood geweest.

Toen we in de richting van de glazen deuren liepen, vroeg Jake, alsof het net bij hem opkwam: "Nog iets gehoord van Ted Harvey?"

Geen woord.

Toen we terugkwamen op de ranch, stond Jake erop de Bronco

te wassen. Ik voelde me misselijk worden toen het zeepsop in de emmer roze kleurde, en omdat Jake het niet meer over "de zaak" wilde hebben, trok ik me terug in huis. Daar zette ik de laptop aan en herlas mijn halfbakken vorderingen van de laatste paar dagen.

Het hielp niet echt dat mijn personages al even onsympathiek waren als die in de oorspronkelijke versie van *Titus Andronicus.* Zelfs mijn hoofdpersoon Jason begon me te ergeren. Ik probeerde net te besluiten of ik hem in het midden van het boek kon laten doodgaan, toen Jake binnenkwam om te zeggen dat hij op zoek ging naar kogelhulzen.

"Zorg dat je de Sheriff niet voor de voeten loopt," waarschuwde ik hem, mijn aandacht losmakend van mijn mislukte magnum opus. We waren al op de hoogte gesteld dat ze later op de dag langs zouden langskomen – waarschijnlijk als ze klaar waren met de belángrijke misdaden.

"Dat zal ik niet doen." Hij aarzelde. "Hé, ga nou niet aan de wandel, oké?"

"Waar naartoe dan?"

"Waar dan ook."

"Oh." Ik woog het af. "Je bedoelt dat iemand zou kunnen proberen…"

Duh.

"Begrepen, meneer," zei ik en salueerde.

Jake schudde zijn hoofd alsof hij het hopeloos vond en liet me achter met de moordende intriges rond de familie Andronici.

Een uur lang zat ik verbeten te typen. Ik dronk nog wat koffie en ging toen weer met het boek aan de slag.

Het geluid van een pick-up voor het huis haalde me uit mijn concentratie. Verwensingen mompelend liep ik naar de veranda. Kevin stapte uit zijn groene pick-up. Het schoot even door mijn hoofd dat als Kevin een slechterik was, het nu het moment was voor hem om zijn slag te slaan; hij had tenslotte het zonnige karakter en het typisch Amerikaanse uiterlijk dat seriemoordenaars op tv ook altijd hadden.

Het kwam ook bij me op dat een auto hebben die er vanaf een afstand uitzag als die van een boswachter, erg handig kon zijn om 's nachts ongezien rond te rijden.

"De hel is losgebroken," vertelde Kevin me toen hij de verandatrap bereikte. Zijn jeugdige gezicht leek ouder en gespannen. "Ze hebben professor Livingston gevonden."

Ik wist niet precies wat ik moest zeggen. Kevin staarde me verwachtingsvol aan.

"Zijn auto stond in het dorp geparkeerd, op de parkeerplaats van een hotel. Niemand had hem opgemerkt."

Betekende dat dat de professor in het dorp was vermoord? Of was de moordenaar met de auto van Livingston naar Basking gereden en dan terug gelift? Behoorlijk riskant. Maar niet zo riskant als Livingston in de stad vermoorden en dan zijn lichaam terug naar de ranch vervoeren.

Misschien had de moordenaar een handlanger?

Als Livingston op het terrein was vermoord en zijn auto was verplaatst, moest daar een reden voor zijn. De meest voor de hand liggende reden die ik kon bedenken was dat het belangrijk voor iemand was dat het leek of Livingston weggegaan was, zoals gepland. Iemand probeerde tijd te winnen.

Toen ik niets zei, barstte Kevin uit: "Ze hebben al onze wapens in beslag genomen. Amy's .45, Livingstons Rugar en mijn geweer. Ze denken dat één van óns hem neergeschoten heeft."

"Hoezo?"

Kevin schudde zijn hoofd. "Eerst geloofde ik het niet, maar nu..."

"Nu wat?"

"Nou, iemand heeft hem neergeschoten. Ik denk – ik bedoel–" Hij keek me vreemd aan. "Je vroeg niet waar ze hem hebben gevonden. Je weet het al, niet?" Het klonk beschuldigend.

Ongemakkelijk gaf ik toe: "Dat Livingston degene was die we in de schuur vonden? We hebben gewoon– Jake heeft gewoon één en één bij elkaar opgeteld."

"Waarom zou iemand hem net in jouw schuur verbergen? Dat vragen we ons allemaal af."

Ze vroegen zich vast nog wel meer dingen af.

"Er was een goede kans dat hij heel lang niet gevonden zou worden. Het lijkt erop dat Harvey niet vaak in de schuur kwam."

"Harvey moet degene zijn die hem vermoord heeft."

Ik zei niets, maar ik dacht: maar wie vermoordde Harvey dan? Om mezelf wat tijd te geven bood ik Kevin een stoel aan en vroeg of hij zin had in een biertje. Hij nam de stoel aan, wees het drinken af en veranderde toen van gedachten.

Nadat ik het biertje had gehaald, zei hij: "Het klopt niet. Niets klopt. En dan nog wat: er waren een paar nachten dat mijn auto weg was zonder dat ik het wist. Waarschijnlijk heeft iemand hem gewoon geleend, maar wat als – wat als–?"

"Met welk doel?" vroeg ik op neutrale toon.

"Geen. Dat is er niet."

"Denk erover na. Er moet een reden zijn. Wanneer was je auto weg?"

"Dat weet ik niet zeker meer. Vorige week. Misschien donderdag."

Donderdagnacht was de nacht dat Harvey vermoord werd.

Het moet op mijn gezicht te lezen geweest zijn want Kevin ging snel verder: "Livingston is neergeschoten met een .22 holle punt. Dat is wat in mijn geweer zit." Hij schudde zijn hoofd, hij zag er misselijk en bang uit. "Zo'n karabijnlader dient om te jagen, weet je? Ik ben niet de enige hier met een .22 kaliber. Maar er is nog meer."

"Laat me raden. Nog meer spookachtig gezang vanuit de grotten gisteravond?"

Kevin keek me vreemd aan. "Nee, maar een paar klootzakken hebben ons gereedschap in het meer gegooid. Iedere schop, pikhouweel, bijl, noem maar op. We zijn de hele ochtend bezig geweest het er weer uit te vissen. In deze tijd van het jaar is het water net ijs."

"Staan jullie 's nachts niet op wacht?"
"Natuurlijk wel, maar niemand heeft iets gezien."
"Mooi verhaal. Wie was de wachtpost vannacht?"
Kevin dronk van zijn bier en zei toen: "Melissa had de eerste wacht. Een jongen die Bob Grainger heet nam de tweede." Hij legde zijn hoofd in zijn handen. "Adrien, wat moet ik doen?"
Ik was bang dat hij zou gaan huilen. Ik schoof naar hem toe op de bank en legde mijn arm om zijn schouders. Let wel, het was een broederlijke knuffel.
Maar toen sloeg Kevin zijn armen om me heen en zijn stemming was minder broederlijk dan de mijne.
"Eh… Kevin," begon ik, terwijl ik probeerde hem van me los te maken.
En toen, wat een timing, opende Jake de deur. Hij stond stokstijf stil. Ik kon de klok op de schoorsteenmantel horen tikken. Ik had zijn auto niet horen aankomen. Ik had de voordeur niet gehoord. En, als klap op de vuurpijl, ik had geen idee wat ik moest zeggen.
Jake echter wel. Precies op het goede moment zei hij: "En ondertussen, op de ranch…"

11

"Kevin ging net weg," zei ik. Het lukte me nu om me van hem los te maken.

"Verwarde hij jou met de deur?"

"Het is niet wat je denkt," mengde Kevin zich erin. Dat hielp niet echt.

Jake zei, nog steeds rustig, maar opeens dreigend: "En jij weet wat ik denk?"

Nu Kevin weer rechtop stond, leidde ik hem naar de deuropening. Hij en Jake passeerden elkaar rakelings als twee rivaliserende katers. Jake had een grijns op zijn gezicht die erom vraagt weggeveegd te worden.

"Koeioneert die klootzak jou?" vroeg Kevin toen ik hem over de gepolijste vloer duwde.

Ik lachte. "Je maakt een grapje, toch?" Ik overhandigde Kevin zijn jas en gaf hem een zet naar de veranda.

"We moeten praten," protesteerde hij.

"Later." Ik sloot de deur in zijn gezicht.

"Kevin is bang dat hij gearresteerd wordt," legde ik aan Jake uit toen ik hem in de keuken vond, een kartonnen melkpak leegdrinkend – een gewoonte die ik haat.

Jake mikte het lege pak in de vuilnisbak met wat ik noem een gecontroleerd gebruik van kracht.

Ik ratelde maar door om de stilte op te vullen. "Het lichaam in onze schuur was van Livingston. De politie controleert de wapens van iedereen op het terrein voor een ballistisch onderzoek. Livingston is neergeschoten met een .22 kaliber en Kevin heeft er zo één."

"Misschien heeft Kevin hem neergeschoten."

Ik schudde mijn hoofd.

"Oké dan, meneer Pinkerton. En je baseert deze conclusie op

het feit dat het joch een lekkere kont en sproeten op zijn neus heeft?"

"Ik baseer het op het feit dat ik denk dat hij het niet gedaan heeft. Welk motief kan hij hebben?"

"Misschien mocht hij die man niet. Misschien gaf Livingston hem onvoldoendes op school of haalde hij hem van het graven af. Misschien had de goede professor ontdekt dat dit joch wiet van Ted Harvey kocht en weer verkocht. Misschien probeerde de professor hem te versieren; seksuele pleziertjes in ruil voor studiepunten. Het zou niet de eerste keer in de wereldgeschiedenis zijn."

Ik voelde mijn mond openvallen. "Hoe kom je hierbij?"

"Hé," zei Jake, "ik noem maar een paar mogelijkheden op. Er staat één ding vast tijdens een moordonderzoek: je kunt altijd een motief vinden. Als de rest van de zaak klopt – gelegenheid, middelen – kun je ervoor gaan. Het motief zal uiteindelijk wel blijken."

Daar moest ik over nadenken. Jake was hier de deskundige, maar ik kon in Kevin geen moordenaar zien. Niet dat ik zo dom was om dat te zeggen.

Ik haalde mijn schouders op. "Misschien. Ik heb zelf ook een paar ideeën."

"Ik wist het wel."

"Maar ik heb je hulp nodig."

Jakes ogen schoten omhoog alsof hij hoopte op een goddelijke interventie.

"Ach wat, mijn leven staat toch in dienst van de mensen," verzekerde hij me en sloot de deur van de koelkast met een zachte klap.

Het leed geen twijfel dat hij steeds sarcastischer werd, maar twee uur later zaten we, meneer Pinkerton en rechercheur Bull, op het spoor. Of, om precies te zijn, niet op het spoor maar op de klif boven Spaniard's Hollow.

"Dat is een diepte van zo'n 60 meter," zei Jake, terwijl hij in zijn hoofd ongetwijfeld berekeningen maakte als een goedgetrainde padvinder. Zijn neus was roze van de kou of een allergie. Hij veegde hem af met zijn mouw.

"Het is behoorlijk steil," gaf ik toe, en staarde naar het duizelingwekkende panorama van boomtoppen, gras en het bergmeer dat als een spiegel lag te glanzen in de late middagzon. "Er moet een pad zijn."

Terwijl ik me vasthield aan de tak van een dwergeik die tegen alle wetten van de zwaartekracht in over de rand groeide, leunde ik verder voorover. Onder mijn laarzen schoven keitjes weg. Ze rolden de berg af, kaatsend op de rotsen.

"Jezus, kijk uit!" Zijn vuist sloot zich om mijn kraag en mijn haar en hij trok me terug. Ik landde languit op zijn schoot – wat ik in andere omstandigheden pikant zou hebben gevonden.

"Rustig! Rustig aan." Ik bevrijdde mezelf en trok de kraag van mijn shirt terug op zijn plaats. "Ik weet wat ik doe."

"Mijn fout, sir Edmund Hilary." Jake nam mijn plaats bij de rand in en gluurde voorzichtig naar beneden. "Er is geen pad."

"Nou, misschien geen pad dat jij en ik zouden herkennen."

De rand, die klaarblijkelijk bij elkaar werd gehouden door de boomwortels en kleine wilde bloemen, begon onder Jake af te brokkelen. Ik riep een waarschuwing.

Jake leek net een omgekeerde salamander toen ik hem bij zijn benen greep en trok, plat op mijn rug in het gras en dennennaalden. De hak van zijn laars schampte langs mijn kaak toen hij in het rond schopte om zichzelf te redden, en ik moest zijn schenen loslaten.

Met een verbazende behendigheid voor iemand van zijn formaat rolde Jake om en sprong in een soort hurkhouding alsof hij aan kungfu deed.

"Dit is een waardeloos plan!" snauwde hij. Hij was lijkbleek.

"Heb je hoogtevrees?"

"Nee!"

Uhuh.

Ik dacht na. "Ik kan het doen."

Zijn mond bewoog, maar er kwam niets uit. "Je bent hartstikke gek," slaagde hij er tenslotte in te zeggen en hij keek me aan.

"Ik ben ook zo'n vijftig kilo lichter dan jij."

"Wat heeft dat ermee te maken? Je kan niet vliegen. Om het maar niet te hebben over je slechte hart."

Was hij daar maar niet over begonnen, want ondanks de stress en de spanning van de afgelopen week, voelde ik me gezonder en sterker dan ik me in jaren had gevoeld. Misschien lag het aan de frisse lucht en de lichaamsbeweging. Of misschien hield ik mezelf voor de gek. Hoe dan ook, ik wilde niet dat Jake dacht dat ik minder man was dan hij.

"Vergeet mijn hart. We kunnen het touw vastbinden aan die boom." Ik wees naar een robuuste den. "Als het misgaat, kun jij mij beter optrekken dan andersom."

"Nee." Hij schudde zijn hoofd. "Dat gaat niet door, Adrien. Never nooit niet."

"Ik kan dit, Jake. Doe niet… ik heb geen moeite met gewone fysieke inspanningen."

"Aan een rots hangen is geen gewone fysieke inspanning!"

"Ik ben niet van plan omhoog te klimmen. Ik volg het pad naar beneden." Hoe meer hij me probeerde tegen te houden, hoe belangrijker het voor me werd om het te doen. "Kom óp, Jake, straks wordt het donker."

Hij gaf niet toe.

Ik probeerde hem over te halen: "Ik ga alleen maar omlaag langs dit pad. Hoe belastend kan dat zijn? Luister, jij hebt ik weet niet hoeveel tijd besteed aan het zoeken naar bandensporen en kogels en hulzen? En we hebben nog steeds niks."

Zijn ogen werden bijna geel van woede. "Dus gaan we maar Indiaanse grotten onderzoeken? Adrien, er zit geen geheime Indiaanse sekte achter ons aan. We zijn gisteravond niet beschoten door een Kuksu-spook."

"Je kunt niet zeggen dat deze dingen niet met elkaar in

verband staan. Kevin zei dat iemand gisteravond alle schoppen en gereedschap op het terrein in het meer had gegooid."

Ruw haalde hij zijn vingers door zijn haar. "Hoor jezelf nou toch eens bezig."

"Het zou fijn zijn als iemand dat deed! Ik zeg niet dat ik een moordend spook denk te vinden dat zich schuilhoudt in die grot. Hoewel, weet je, niemand heeft ooit een onderbewuste gezien, en toch geloven wetenschappers in het onderbewuste. Niemand heeft ooit het 'id' gezien, maar Freud en een heleboel andere psychiaters geloven er toch in. Waarom is het zo moeilijk–?"

"Ik geloof niet in spoken," viel Jake me in de reden. "Ik geloof niet in buitenaardse wezens. Je kunt altijd mensen vinden die in dat soort dingen geloven, jij gelooft er waarschijnlijk in."

"Geloof je in God?"

"God is anders."

"Waarom is God anders? Niemand heeft Hem ooit gezien. Haar. Het."

Jake schreeuwde: "Ik ga hier niet op een bergtop met jou discussiëren over theologie, psychologie of wat voor –ologie dan ook! Ik denk gewoon dat er geen goede reden is om ons leven te wagen in die grot."

"Daar ben ik het niet mee eens."

"Dan moet jíj je leven maar wagen."

Ik haalde mijn schouders op en draaide me om naar de rand van de klif. Jake greep me bij mijn arm.

"Wacht nou verdomme even." Zijn vingers groeven zich in mijn arm.

"Au... waarop?"

"Je kunt dit niet alleen!"

"Let maar eens op." Ik probeerde hem aan te blijven kijken.

Jake keek een hele tijd terug en toen vertrok zijn mond. Hij schudde aan mijn arm en liet me toen los. "Het is de bedoeling dat je het nu opgeeft."

"We verspillen daglicht."

"Shit!" Met een binnensmondse vloek gooide hij het touw naar me toe dat we de berg op hadden gesleept en maakte het andere eind vast aan de robuuste boom.

Ik knoopte mijn kant van het touw om mijn middel. Probeerde het uit. Ik mag dan wel geen padvinder zijn geweest maar ik weet hoe ik een fatsoenlijke knoop moet maken.

"Dit is een slecht idee," gromde Jake.

"Dat zeg jij."

Hij beloonde me met een norse blik toen ik voorzichtig over de rand stapte.

Het touw was slechts een voorzorgsmaatregel; ik veronderstelde dat ik me een weg naar beneden kon zoeken via steunpunten voor mijn voeten en door me vast te houden aan de takken en grillige wortels van de struiken. Maar al gauw kwam ik erachter dat de helling steiler was dan ze leek; meer geschikt voor een klimpartij dan voor een wandelingetje. Als een teek klampte ik me vast aan de bergwand en overwoog plan B.

Het zweet prikte bij mijn haargrens, stroomde tussen mijn schouderbladen door en droogde op in de ijzige berglucht.

Onder mijn voet schoot een steen weg en ik viel een stukje naar beneden. Het was maar een paar centimeter, misschien een halve meter, maar mijn hart leek niet met mijn lichaam mee te gaan en een paar seconden lang voelde ik hoe het moest zijn om echt te vallen. Het touw schraapte pijnlijk langs mijn ribben en mijn tepels en bleef vastzitten onder mijn oksels.

Ik schopte in het rond tot mijn voet houvast vond; mijn klauwende vingers groeven zich in en ik had weer steun. Onder mij was de ingang van de grot.

Ik keek omhoog. Jake was zo'n vijftien meter boven mij en vierde nog steeds het touw. Ik stak mijn duim op. Of hij daarop reageerde kon ik niet zien. Ik maakte het touw los, sprong omlaag naar de richel voor de grot en kwam half op mijn hurken neer. Nadat ik mezelf overeind had gehesen, veegde ik mijn handen af aan mijn Levi's.

Voor de ingang van de grot hing een wespennest; de beestjes zoemden woest rond mijn hoofd.

Wegduikend voor een paar van die bommenwerpers knipte ik mijn zaklamp aan en scheen in het donkere gat. Al na een paar stappen besefte ik dat ik een sterkere zaklamp nodig had.

De zwakke lichtbundel gleed over de wanden. Vaag kon ik een paar schilderingen onderscheiden, figuren getekend in roestig bruin, als van opgedroogd bloed: golvende lijnen en cirkels die net zo goed ruimtewezens konden voorstellen als iets anders. Niets overtuigends, geen stokmannetjes met klauwen.

Ik liep verder de grot in. Die ging diep de berg in. Waar ik een ondiepe nis had verwacht, had ik een echte spelonk gevonden.

De witte cirkel van de zaklamp danste rond. Een paar meter verder bleef het licht rusten op een klein skelet. Ik stopte, porde er met mijn voet tegenaan. Te groot voor een konijn, te klein voor een hond. Een vos?

"Voeten, beweeg," mompelde ik en schrok toen mijn gefluister als een griezelige echo terugkaatste.

Voor mijn gevoel liep ik een paar kilometer.

De grot was zo kil als een kelder en het stonk er naar dierennesten en uitwerpselen. Ik begon me af te vragen waarom het zo belangrijk voor me was geweest deze tocht te maken. De duisternis begon aan alle kanten op me te drukken.

Na nog een tiental meter besloot ik dat ik ver genoeg was geweest, dat het geen zin had om tot het einde van de spelonk te gaan. Het was duidelijk dat ik nerveus begon te worden en ik wist niet precies waarom. Ik probeerde mezelf af te leiden door het te analyseren, maar het hielp niet.

Hoewel ik nooit eerder claustrofobisch was geweest, begon ik me opgesloten te voelen. De duisternis was zwaar, verstikkend.

Verman je, zei ik tegen mezelf.

Nog een aarzelende stap. Dan weer een schuifelpas voorwaarts. En net toen ik besloot ermee te kappen, psychisch of niet psychisch, scheen de zaklamp op iets dat op het eerste gezicht een boomstronk leek. Ik stond doodstil. Het was geen boomstronk. Het was een lichaam. Het was vies en zat onder de wespen en andere insecten.

Ik herkende het verfomfaaide geruite hemd. Dat was het enige nog herkenbare.

"Jezus."

"Jeeeeeezuuuuuuus," klonk de fluisterende echo.

Ik deinsde achteruit, stapte op iets ronds en hards en verloor mijn evenwicht. Ik raakte de vloer van de grot en het licht ging uit.

Koortsachtig zocht ik naar de zaklamp. Mijn vingers sloten zich om iets ronds, niet bepaald glad, dat afbrokkelde in mijn hand. Het drong meteen tot me door wat het was en ik wierp het vloekend van me af.

Na wat graaien vond ik eindelijk de zaklamp. Ik schudde hem hard heen en weer om hem weer tot leven te wekken en mijn opluchting was enorm toen er een flauw licht verscheen – dat op stukjes schedel van een klein dier viel.

Ik klauterde overeind en rende naar de uitgang van de grot.

Mijn laarzen galmden op het compacte zand terwijl ik de kleine witte maan volgde die mijn zaklamp voor me uit wierp.

Het leek lang te duren voor ik de ingang weer vond. Te lang. Ik hield halt en probeerde mezelf te kalmeren terwijl de duisternis zich om me heen sloot. Het was niet meer dan dat: duisternis. De afwezigheid van licht. Maar ze leek naast me te staan als een kwaadaardige fysieke aanwezigheid. Naast me en om me heen, opdoemend, dreigend...

Er waren geen zijgangen. Er was maar één weg, dus óf ik rende naar de opening, óf ik rende dieper de grot in.

Mijn hart sloeg een slag over. Was ik op de één op andere manier omgedraaid? Rende ik dieper het hart van de berg in? Waarom werd het niet lichter?

Daar stond ik, te blazen en te puffen, mijn hart trillend van angst.

Het is onmogelijk, zei ik tegen mezelf om de opkomende paniek tegen te gaan. Het kan verdomme niet zo zijn dat ik zo in de war ben geraakt dat ik verder de grot in ben gelopen.

Toen ik weer op adem was gekomen, begon ik weer te lopen, maar langzaam, me verzettend tegen de overtuiging dat ik met iedere stap verder verwijderd raakte van de veiligheid. Mijn verstand vertelde me door te gaan, te vertrouwen op mijn instinct.

De langste reis begint met de eerste stap, zeggen de filosofen, en dat zei ik dus ook steeds weer tegen mezelf. We gaan door en door en door…

Tot mijn grote opluchting zag ik dat de zwarte duisternis dunner werd, dat er een melkachtige gloed verscheen. Het was eenvoudigweg donker aan het worden buiten en dat had me misleid. Buiten schemerde het.

Toen ik de ingang van de grot bereikte dook ik achteruit toen er iets in mijn hand prikte. Een prikkelbare wesp. Ik vloekte, zoog aan de rug van mijn hand en ging verder op verkenning.

Er moest een pad zijn dat van de vallei naar boven leidde. Het zou te riskant en te moeilijk zijn geweest om dat dode gewicht over de rand van de klif omlaag te krijgen. Vanaf deze plek was het makkelijker. Het pad was er; ik moest het alleen nog vinden. Ik ging op mijn hurken zitten om op adem te komen en tuurde naar de beboste berghelling. Uiteindelijk zag ik een zandpad tussen de bomen door slingeren.

"Jake!"

Tot mijn opluchting kwam Jake meteen over de rand hangen na mijn geroep. Ik gebaarde dat ik verder naar beneden ging, dat ik niet naar boven kwam. Hij maakte een ingewikkeld handgebaar en trok zich weer terug.

Ik begon het pad af te lopen, zo snel als ik kon zonder mijn nek te breken. Het duurde ongeveer twintig minuten. Losliggende keien en dennennaalden vertraagden mijn voortgang en eisten al mijn aandacht op. Als ik een dood gewicht mee naar boven had moeten dragen had ik er nog langer over gedaan.

Eindelijk bevond ik me op vaste grond. Dat was een verbetering, maar niet zoveel als ik had gehoopt. De omringende bomen blokkeerden effectief het licht. Het was heel stil. Te stil? Er is niets dat een mens zo van zijn stuk kan brengen als het vinden van een wegrottend lijk.

Tot mijn geruststelling tjirpte er een krekel.

Ik schudde mijn nervositeit van me af en ging weer verder. Ik wist dat het Jake minstens een half uur zou kosten om terug op de ranch te komen, een van de auto's te pakken en hierheen te rijden om me op te halen. Een half uur in Creepsville was genoeg.

Het werd donkerder. Ik liep verder. De vogels in de bomen hadden niet langer met me te doen en vielen stil. Achter me hoorde ik opeens iets kraken, alsof iemand op een takje trapte.

Ik stond stil. Probeerde uit te vinden waar het geluid vandaan kwam.

Daar was het weer, dichterbij nu. Tegelijkertijd was er een geur die ik niet goed kan omschrijven. Een muskusachtige geur, zwaar en olieachtig, dierlijk.

Het was moeilijk vast te stellen waar ik me bevond omdat ik niet bekend was met dit deel van het woud. Ik nam even de tijd om Saddleback Mountain te localiseren en me ervan te verzekeren dat ik in oostelijke richting liep, naar het kamp van de archeologen.

Ik liep voorzichtig verder, ik wilde niet het risico lopen mijn voet te verstuiken op het oneffen pad.

Wat me ook volgde door het struikgewas, het was nu duidelijk te horen. Als het een dier was, een beer of een katachtige, zou rennen het risico op een aanval alleen maar vergroten. Wanneer was er hier eigenlijk voor het laatst iemand aangevallen door een beer of poema? Het was mogelijk, maar niet waarschijnlijk, toch? Misschien was het iets onschuldigs. Een hert of een verdwaalde koe. Of een heel groot konijn.

Mijn verstand gebood me door te lopen; ik verhoogde mijn snelheid, maakte lange stappen.

Mijn spieren protesteerden, mijn hemd was doorweekt met zweet. Ik begon me zorgen te maken dat ik mezelf forceerde. Dat was niet moeilijk, na zestien jaar van waarschuwingen van Lisa dat ik voorzichtig moest zijn, rustig aan moest doen, eraan moest denken dat ik niet sterk was. Het zou nogal sneu voor me zijn als de laatste woorden die ik op aarde zou horen een "Ik heb het je gezegd" van Jake waren.

Het kamp kon toch niet ver meer zijn? Voor me verschenen de staken waarmee het terrein van de opgraving naar de Red Rover-mijn was afgebakend. Misschien nog een kilometer of twee? Ik rende harder, luisterend naar het angstaanjagende maar gelijkmatige pompen van het bloed in mijn oren.

Toen ik de bocht om rende, werd ik bijna verpletterd door Jake die de weg op kwam gescheurd in de Bronco.

Ik sprong naar links, Jake zwenkte naar rechts en remde.

Ik rolde uit het bed van bladeren, kroop overeind en klauterde in de Bronco.

"Jezus, Adrien!" Hij trok wild de zonnebril van zijn neus.

"Er is daar iets!" schreeuwde ik, terwijl ik nog eens controleerde of ik de deur op slot had gedaan. Mijn hart ging als een razende tekeer. Ik hield me stil en luisterde naar mijn hartslag.

Jakes gezicht verhardde. Hij trok zijn pistool uit zijn schouderholster en reikte naar de deur.

Ik vergat mijn hart en greep hem vast. "Wat ga je doen?"

"Wat denk je dat daar buiten is?"

"Weet ik niet. Een beer misschien?"

Blijkbaar klonk ik niet overtuigend. "Vast." Hij keek me lang en doordringend aan. "Wacht hier." Hij schudde mijn hand van zich af en stapte uit.

Hij begreep het gewoon niet.

Ik stapte ook uit, al had ik daar niet veel zin in, en keek gespannen hoe Jake terug de weg op liep. Hij zag eruit alsof hij op alles voorbereid was, hoewel hij duidelijk geloofde dat ik me had laten meeslepen door mijn verbeelding. Ik ging hem achterna.

Weliswaar wilde ik binnen sprintafstand van de Bronco blijven maar ik wilde Jake ook niet uit het oog verliezen.

Terwijl we wachtten vertraagde mijn hartslag weer naar een normaal tempo. Ik ontspande een beetje, had zelfs even een triomfantelijk gevoel. Ik had gedaan wat ik van plan was en er was nog niets ergs gebeurd.

Een paar meter verderop bleef Jake opeens staan. Ik stopte onmiddellijk. Er bewoog niets in de schemering. Geen twijgje, geen grassprietje verroerde zich. Buiten het geluid van de draaiende motor van de Bronco was het volkomen en zenuwslopend stil.

Ik kon Jake nauwelijks nog onderscheiden in de vallende duisternis.

"Het is weg," riep ik.

Hij schudde zijn hoofd.

Hij had gelijk. Ik kon het ook voelen, er wás daar iets, buiten ons gezichtsveld. Het wachtte.

Angst spoelde door me heen en ik kon niet meer helder denken. Gisteravond had ik een reden gehad om doodsbang te zijn. Vandaag... was mijn reactie niet logisch. Als het een beer was geweest die me vanuit de grot was gevolgd, dan zou hij zich nu niet verstoppen in de bosjes. En als het geen beer was of een andere grote vleeseter, wat was dan het probleem?

"Jake –" Ik zweeg toen een lang, bloedstollend gehuil de stilte verbrak.

Het was geen coyote. Ik heb genoeg coyotes gehoord om het verschil te kennen. Het klonk als... nou... een wolf. Vlakbij.

Jake hield zijn pistool in de aanslag, klaar om te vuren, maar het geluid leek niet uit een bepaalde richting te komen.

"Christus," zei hij, hard genoeg zodat ik het kon horen.

Zonder erbij na te denken liep ik terug naar de Bronco. Ik wilde gewoon wandelen maar op de één of andere manier rende ik er als een gek naartoe.

Jake was vlak achter me. Meteen na mij sloeg hij zijn deur dicht en deed ze op slot.

“Ik verbeeld het me niet,” zei ik.

“Nee.”

Ik staarde naar wat ik nog van zijn gezicht kon onderscheiden in het duister. “Wat was dat verdomme? Er zijn hier geen wolven.”

Hij schudde zijn hoofd.

We zaten daar een tijdje terwijl het buiten steeds donkerder werd.

“Waar wachten we op?”

“Geen idee.” Zijn ogen bleven gericht op de kant van de weg.

“Misschien is het een weerwolf.” Hij draaide zich naar me toe en ik zei er gauw achteraan: “Ik maak maar een grapje.”

“Ik hoop het.”

Zonder verder commentaar schakelde hij in de achteruit, zijn arm rustend op de achterkant van mijn stoel zodat hij zich kon omdraaien om terug te rijden.

Zodra we een plek bereikten waar hij de Bronco kon draaien, deed hij dat vlot en efficiënt.

“Ik heb iets gevonden in de grot,” zei ik abrupt. Blijkbaar was ik zo geschrokken van wat we net hadden meegemaakt dat het lijk in de grot me even door het hoofd was geschoten. “Niet wat ik verwachtte. Ik vond een lichaam.”

Jake wierp me een snelle blik toe. “Niet wat je verwachtte? Wat verwachtte je dan?” Zijn donkere wenkbrauwen trokken samen. “Was het…?”

Ik wist wat hij vroeg – en waarom.

“Ik denk het.” Met vertraagde walging zei ik: “De dieren hadden er al aan gezeten.”

Terug in de ranch, meldde Jake mijn griezelige vondst terwijl ik ons wat te drinken inschonk.

Toen hij de telefoon neerlegde zei ik: “Hoe lang nog voor we terug moeten naar de grot?”

Hij pakte zijn glas en sloeg een mondvol whisky achterover. “Jij hoeft niet te gaan. Ik regel het wel.”

"Hou op me te behandelen als –"

Hij onderbrak me: "Luister, je hoeft jezelf niet steeds te bewijzen voor mij, oké? Ik vind je stoer genoeg op andere vlakken."

Ik wist niet wat ik daarop moest zeggen. Het was moeilijk zijn blik vast te houden. Opeens leek hij het allemaal te goed te begrijpen.

"Vanaf nu laten we het aan de professionals over. Begrepen?"

"Ik denk het."

We dronken in een onverwacht kameraadschappelijke stilte. Jake liet whisky door zijn tanden glijden en slikte, gevolgd door een "Ahhh…"

"Wat ik niet begrijp is waarom iemand Ted Harvey én professor Livingston zou willen vermoorden? Wat kunnen die in vredesnaam met elkaar gemeen hebben?"

Jake zuchtte, alsof hij wel had geweten dat de rust te mooi was om lang te duren. "Als het Harvey ís," antwoordde hij.

"Het is misschien niet Harvey, maar het is wel die vent die ik op de weg zag liggen, de nacht dat ik hier aankwam. Ik herkende zijn hemd."

Hij leek het te overwegen. "Oké, nou, misschien is één van hen per ongeluk vermoord."

"Waarom zeg je dat?"

"Je vond toch dat ze op elkaar leken?"

"Nee. Ik wist dat Livingston niet Harvey was. Alle anderen vonden dat mijn beschrijving van Harvey ook paste bij Livingston. Ik niet."

Jake haalde zijn schouders op alsof zijn punt duidelijk was.

"Die twee hebben niets gemeen. De één is een gerespecteerd academicus. De ander is… een soort nietsnut."

"Ze hebben iets met elkaar gemeen. Hoogstwaarschijnlijk zijn ze vermoord door dezelfde persoon. En hoogstwaarschijnlijk had die persoon een motief."

Ik liet de whisky draaien in mijn glas, met de klok mee, tegen de klok in. "Jij denkt dat het Kevin is."

Jake schokschouderde. "Stel dat Harvey en het joch een zakelijke regeling hadden. Stel dat Livingston erachter kwam. Het joch vermoordt de professor. Hij krijgt ruzie met Harvey en vermoordt Harvey."

Door zijn lange diensttijd had Jake een nogal duistere blik op de werkelijkheid gekregen.

Ik knipperde met mijn ogen. De alcohol sloeg opeens toe. Ik voelde me bijna ijl van vermoeidheid. "Jake, er is geen reden om Kevin meer dan iemand anders te verdenken."

"Wat denk je van een .22 kaliber geweer?"

"We weten niet eens of het ballistisch onderzoek een match geeft."

"Ik denk dat ze wel een match zullen vinden, Adrien." Hij keek me aan. "Ik weet dat je die jongen leuk vindt, maar er is gewoonlijk niet veel geheimzinnigs aan deze dingen. Je bekijkt de feiten en legt ze naast elkaar en dan kom je meestal bij één persoon uit, zelfs als er niet altijd genoeg bewijs is voor een veroordeling."

Ik kreeg de kans niet om hierover in discussie te gaan omdat de sheriffs de oprit opreden en Jake met ze mee ging om ze de grot te laten zien. Ik luisterde naar het geluid van de wegrijdende auto en besloot een dutje te doen. Een paar uur lag ik onder zeil in een diepe droomloze slaap. Toen ik weer wakker werd voelde ik me zo goed als nieuw.

Ik trakteerde mezelf op een lang bad in het bad met de klauwen, verzorgde mijn wespensteek, die nu een lelijke rode plek aan het worden was, trok een trui en een zacht T-shirt aan en begon aan het eten.

Terwijl de kipkarbonade aan het braden was, zat ik aan tafel met een blocnote en probeerde duidelijk te krijgen wat Jake en ik tot nu toe hadden ontdekt.

De waarheid en niets dan de waarheid, zei ik tegen mezelf. Maar wat was de waarheid? Iemand had twee mannen vermoord die, op het eerste gezicht, niets met elkaar te maken hadden.

Dus... misschien hadden ze wel iets met elkaar te maken? Of misschien was de ene moord een ongeluk geweest? Of misschien waren beide mannen niet door dezelfde persoon vermoord?

Iemand (ik weigerde te denken 'Iets') viel de archeologen in Spaniard's Hollow lastig. Waarom? Omdat iemand het heilige grond vond? Of omdat iemand juist de aandacht wilde vestigen op de opgraving? Ik dacht na over wat Marquez had gezegd over Shoup die een grote ontdekking wilde doen. Dat zou publiciteit geven, nietwaar? Mysterieuze gebeurtenissen op een stuk land zouden heel wat publiek trekken.

Bij een tweede glas whisky overdacht ik de mogelijkheden.

Iemand wilde mij en/of Jake vermoorden. Waarom? Ik was niet bepaald een bedreiging als amateurdetective.

Het akkefietje met de slang gebeurde nadat ik had laten vallen dat Jake rechercheur was, dus misschien was dat de reden?

Behalve, zoals Melissa had gezegd, dat er in een dorp weinig dingen waren die geheim bleven. Billingsly wist dat Jake bij de politie was. Dat kon al rondgegaan zijn voordat ik mijn grote mond open had gedaan. Marnie Starr wist dat Jake bij de politie was.

Wat wilde dat zeggen?

De slang kon voor mij bedoeld zijn, maar Jake was degene die neergeschoten was. En nu ik er over nadacht, één van de foto's die ik bij Marnie had gezien, was van Marnie die een geweer vasthield – en niet alsof het speelgoed was.

Liefde op z'n Amerikaans? Misschien had de dood van Harvey toch niets te maken met die van Livingston? Of misschien kende Marnie Livingston ook? Ik tikte met de pen op het notitieboekje en bestudeerde de vele willekeurige punten alsof ik ze daardoor kon verbinden tot een zinvol patroon.

Enige uren later kwam Jake terug, vermoeid en nors.

"Was het Harvey?" vroeg ik terwijl ik keek hoe hij zich boende bij de gootsteen.

"Ja, ze zijn er voor negentig procent zeker van dat hij het is."

"Was hij neergeschoten?"

"Ja."

Ik volgde Jake naar de voorkamer en keek toe hoe hij zichzelf een stevige borrel inschonk.

"Denk je dat het hetzelfde wapen was?"

"Adrien, denk na." Jake dronk zijn glas in één teug leeg en schonk het nog eens vol.

Ik begreep waarom hij misschien gespannen was. "Ik bedoel alleen maar of er iets was dat zou kunnen betekenen dat het niet hetzelfde wapen was?"

Jake verdween naar de keuken terwijl hij antwoordde: "Ik had niet bepaald de kans – of zin – om de wonden te onderzoeken." Hij trok de ovendeur open. "Mm. Mijn favoriet. Houtskool."

"Ze zijn een beetje uitgedroogd. Ik wist niet hoe lang je weg zou blijven."

Hij keek me met een stalen gezicht aan.

"Waarom ga je niet even douchen," stelde ik voor. "Neem van mij aan dat je je dan beter zal voelen. Ik maak een bord eten voor je klaar." Hij gaf zijn glas aan mij. "En nog een drankje."

Een douche en een drankje brachten Jake inderdaad in een betere stemming. Of misschien leek dat leen maar zo omdat ik ook nog een paar glazen had gedronken. Hoe dan ook, tijdens het eten van zijn verschrompelde karbonades en papperige groente door beschreef hij me hoe ze langs de klif naar de grot waren geklommen en Harveys lichaam hadden gevonden. Hoe ze het vervolgens met een stretcher naar beneden hadden gedragen, wat, bij nacht, behoorlijk lastig moest zijn geweest.

"Gaan ze Kevin arresteren?"

Hij keek me niet aan. "Dat vertellen ze me niet."

"Zou jij Kevin arresteren als jij op de zaak zat?"

Hij haalde zijn schouders op. "Er zijn een hoop factoren die tot een arrestatie zouden kunnen leiden. Zoals het er nu voorstaat, zou ik zelf meer gegevens willen. Iets om mee naar de rechter te kunnen gaan."

"Denk je dat ik nog steeds verdacht ben?"

Hij duwde zijn bord van zich af. Nu keek hij me wel aan. "Je bent zeker een verdachte. Ik weet alleen niet of ze je van moord verdenken."

Hier moest ik over nadenken.

"Jake, je weet wat er vandaag in het bos gebeurd is –"

"Daar gaan we weer," mopperde hij. "*The Blair Witch Project.*"

"Hé, je was er zelf bij."

"Deze mannen zijn doodgeschoten. De Bewakers hebben ze niet aan stukken gescheurd zoals die hond – niet dat de hond wel verscheurd is door bovennatuurlijke wezens. Het verhaal over de Bewakers is een legende. Een volksverhaal. Het is geen– Ik geef toe dat er iets vreemds was in het bos vandaag, oké? Maar ik geloof niet dat – ik bedoel –" Hij schudde zijn hoofd, alle paranormale mogelijkheden ontkennend.

Dat kon ik hem niet kwalijk nemen. Hoewel ik mezelf erg ruimdenkend vond, was ik niet bereid de Twilight Zone binnen te gaan.

Ik maakte de mislukte kipkarbonade goed door als toetje frambozen-chocolade-ijs te serveren. Er gaat niets boven ijs om het beest te kalmeren. Voor zo'n stoere jongen was hij wel een zoetekauw. En een stevige drinker, maar dat was typisch voor agenten volgens hem.

Toen hij mijn twijfelachtige blik zag, vertrok zijn mond. "Jij hebt teveel gedronken."

"Ik?"

"Hij knikte. "Ik kan het zien. Je begint dan op een bepaalde manier naar me te kijken." Hij liet zijn kin op zijn hand rusten en liet zijn oogleden half dicht vallen – ik denk dat hij me nadeed. Ik moest toegeven dat het er nogal onnozel uitzag.

"Kom eens hierheen," zei hij.

"Pardon?"

"Dat is je 'kom eens hierheen'-blik."

Ik lachte onwillig. "En dit is mijn 'loop naar de hel'-blik."

Hij zuchtte, een spijtig geluid dat klonk alsof hij in een bierflesje blies. "Je bent waarschijnlijk de mooiste man die ik ooit gekend heb."

"Een fles whisky helpt."

"Nee serieus, echt waar. Je ogen en alles. Niet mijn type, maar mooi."

"Wat is jouw type?"

"Een meisje."

"Bullshit."

Zijn hoofd schoot omhoog en hij keek me fel en vijandig aan.

"Bullshit," zei ik weer. Misschien had ik inderdaad te veel gedronken waardoor ik niet van ophouden wist, ook al zag ik dat Jake erover dacht me een hengst te geven.

In plaats daarvan zei hij helder en somber: "Ik heb je niks te bieden, Adrien." Dit was niet bepaald de inleiding op een aanzoek.

"Ik kan me niet herinneren dat ik daarom gevraagd heb." En om een punt te maken voegde ik eraan toe: "Jezus, jij kwam achter mij aan, Jake. Elke meter."

Ik weet niet hoe we van een plagerige flirt tot openlijke vijandigheid waren gekomen. Te veel gedronken, denk ik. Vermoedelijk zou de volgende zet van Jake zijn dat hij zou opstaan van tafel en weer vroeg naar bed zou gaan. Ik wilde niet dat hij weg zou lopen, maar ik kon het ook niet laten gaan. Niet hierover.

Een hele tijd staarde hij me aan, toen haalde hij zijn schouders op. De spanning was verdwenen, zomaar ineens. Hij vulde zijn glas bij, hield het als bij een toost even omhoog en dronk het toen tot de bodem leeg.

"Zo," zei hij luchtig. "Wil je neuken?"

12

“Prima,” zei ik.

Maar ik was minder zeker toen we mijn slaapkamer inliepen en we ons uitkleedden. Aan de ene kant wist ik dat seks niets zou oplossen, maar het zou wel wat kunnen veranderen. Positief of negatief.

Terwijl ik toekeek hoe Jake zakelijk zijn riem losgespte, herinnerde ik me dat dit de man was die het graag deed met zwepen en kettingen – en vreemdelingen.

Als we op de keukentafel waren gevallen, meegesleept door een golf van passie… maar de tijd die verstreek door naar de slaapkamer te lopen, ons uit te kleden, op het bed te gaan liggen… gaf tijd tot nadenken. Tijd voor overwegingen, tijd om stil te staan.

Tijd om me die keer te herinneren dat ik seks had gehad met een man die ik niet zo goed kende. Het was niet echt leuk geweest.

Het was koud in de kamer. Het licht leek te fel. Ik kroop op het bed en vroeg me af wat ik nu moest doen. Had hij het ooit gedaan zonder iemand aan het bed vast te binden? Aangenomen dat hij het überhaupt ooit in bed deed. Mijn kennis van de BDSM-scene was beperkt – en dat wilde ik ook graag zo houden.

Jake knielde op het matras en deed een condoom om als een rechercheur die latex handschoenen aantrekt om een plaats delict te onderzoeken. Niet echt een romantisch geluid.

“Heb je glijmiddel?” vroeg hij.

“Eh… nee. Ik was niet van plan…”

Hij keek op en glimlachte. Die lach ontwapende me. Hij leek lichtelijk onzeker. Op zijn wangen verscheen een blos en zijn ogen waren heel helder.

Ik lachte terug en hij boog voorover om me te kussen. De kus stelde me gerust. Zijn mond was warm en smaakte al bekend.

“Ik vind het leuk om je te kussen,” zei hij zacht. “Dat had ik niet verwacht, maar het is wel zo."

"Goed," zei ik. "Ik kus jou ook graag."

We kusten weer. Ik proefde de smaak van whisky op zijn tong.

Hij kuste me harder en zei tegen mijn mond: "Ik wil je zo graag neuken."

Ik knikte.

"Ga liggen."

Ik ging liggen. De laatste tijd was ik niet echt seksueel actief geweest, maar ik was ook geen maagd. Ik wist wat ik kon verwachten. Wat Jakes ervaring ook mocht zijn, het zou wel oké zijn. Waarschijnlijk niet al te geweldig voor hem, zonder zijn speeltjes en leren pakjes, en misschien niet geweldig voor mij omdat hij het waarschijnlijk niet gewoon was om een ander te plezieren zonder dat daar de nodige hoeveelheid endorfine bij vrijkwam. Ik zou mijn best doen om ervoor te zorgen dat hij zich vermaakte; ik wilde dat hij zou zien dat het ook goed kon zijn zonder het gebruik van allerlei keukengereedschappen.

Hij raakte mijn gezicht aan. "Oké?"

"Ja. Natuurlijk." Alleen wel een beetje in de war omdat hij zo onzeker leek.

Ik liet mijn hand lichtjes over zijn gladde borst glijden. Kneep even in de bruine tepel met mijn duimnagel. Hij slikte en ik glimlachte. Ik plaagde de andere tepel totdat die ook hard werd.

Hij haalde diep adem, liet de lucht langzaam ontsnappen.

Ik had genoeg gedronken om niet meer rationeel te kunnen denken, maar om de één of andere reden, bleven de raderen maar draaien. Veel te snel. Echt veel te snel. Ik voelde me afstandelijk, ver weg, toen hij zich over me heen boog. Zijn grote handen zonken weg in het matras, de spieren in zijn armen stonden strak gespannen. Zijn pik leek een torpedo.

Ik herinnerde me de vorige keer – en kromp ineen bij de gedachte aan al die kracht en frustratie die toen op me inbeukte. Ik staarde naar zijn harde gezicht. Hij keek me nauwlettend aan. Mijn maag kromp samen van angst.

Maar die andere keer was niet met Jake geweest. Dat had niets te maken met... ons. Ik wilde Jake. Ik wilde hem echt. En als ik mezelf toestond te denken aan die vorige keer, dan voedde ik de herinnering alleen maar. Bovendien had ik al veel te lang gewacht op dit moment.

Hij zei: "Wat als ik –"

"Misschien als ik –"

Opeens leken er overal knieën en ellebogen te zijn.

"Au," zei Jake.

"Sorry."

Hij boog voorover op het moment dat ik mijn hoofd optilde en onze neuzen botsten tegen elkaar.

"What the fuck?" Zijn stem klonk gedempt van achter zijn hand.

"Sorry."

"Je hebt dit toch al eerder gedaan?"

Ik weet niet waarom ik dat zo grappig vond, maar ik begon te lachen. Jake deinsde achteruit, zei geïrriteerd: "Wat is er verdomme zo grappig?"

Ik schudde mijn hoofd.

"Je weet wel hoe je de stemming moet verpesten." Toch leek hij nog niet op te geven. Zijn mond vond de mijne en hij kuste me nog eens, indringend. Ik voelde dat ik kalmeerde en gaf toe aan die onverwachte tederheid.

Hij trok zich terug, likte mijn lippen, wat anders was, speels bijna. Mijn lippen gingen van elkaar, afwachtend, maar hij beet me zacht in mijn hals – toen harder.

Ik onderdrukte een gilletje.

"Gedraag je je?" vroeg hij geamuseerd.

Op mijn meest slaafse toon zei ik: "Jawel... Meester."

Hij snuffelde aan de bijtafdruk en ik rilde.

Er zat een hoop kracht en drift in het lichaam dat over me heen hing. Hij rook lekker, naar mijn amandelzeep, en hij smaakte lekker, en hij voelde erg lekker. Langzaam streelde hij mijn buik.

"Ik vind het moeilijk te geloven dat jij dit bent," zei ik hees.

Hij reikte met zijn vrije hand naar het nachtkastje en pakte mijn zonnebrandcrème. "Nah," zei hij. "Je wist dat dit ging gebeuren. Net als ik. Je zei het goed. Ik kwam je achterna. Iedere meter."

Hij spoot een klodder zonnebrandcrème op zijn vingers en verwarmde die. Ik boog mijn benen en opende mezelf voor hem, concentreerde me op het ontspannen van mijn spieren. Jakes vingers masseerden mijn anus, glibberig en glanzend. Ik had me afgevraagd hoe die lange gevoelige vingers voelden en nu drukte er één tegen mijn gaatje.

Ik beet op mijn lip, probeerde geen geluid te maken, probeerde hem niet weg te jagen.

Hij ging naar binnen. Alleen een vingertop. "Je bent zo strak," mompelde hij.

Hij trok hem eruit. Gleed naar binnen, naar buiten. Drong verder door. Die wrijving voelde zo goed. Ik kreunde. Ik kon er niets aan doen.

"Ja," zei hij met slome tevredenheid. "Je hebt het zo nodig. Meer dan ik."

Mijn adem stokte. "Is het een wedstrijd? Wat kan ik winnen?"

"Sst. Houd eens een paar seconden je mond, Adrien."

"Een paar seconden? Is dat alles –" Ik hield mijn adem in toen hij zijn vinger deskundig en feilloos bewoog.

"Aha, daar zit de uit-knop," mompelde hij.

Ik duwde hard tegen zijn hand. Niet dat ik dit nooit eerder gevoeld had, maar op de één of andere manier had het nooit zo intens gevoeld. Het leek of hij recht naar binnen ging, me open rekte, ieder geheim plekje vond, strelend, aaiend, draaiend het meest kwetsbare punt van mijn verlangen aanraakte. Ik wilde eroverheen praten, weg van al dat voelen, dat verlangen, maar het enige wat ik kon uitbrengen was iets dat leek op gejammer.

Tot zover mijn theorie over zijn gebrek aan ervaring. Het kwam wel goed. Ik zou me meer dan goed voelen.

"Schatje, dat geluidje dat je net maakte..." Hij gebruikte twee vingers. "Wat denk je hiervan? Is dit ook goed?"

Hoe kwam ik erbij dat hij geen ervaring zou hebben? Hij had het helemaal onder controle, schatte mijn reacties perfect in en bracht me deskundig naar de rand met iedere prikkelende – en doelbewuste – stoot tegen mijn prostaat.

Dat was echt geen beginnersgeluk.

De spanning bouwde zich ondraaglijk op. Mijn ogen sperden zich open. "I-ik denk dat ik klaarkom."

"Denk je?" Zijn ogen waren samengeknepen, alsof hij inwendig lachte.

"Maar..." Het was veel te snel. Mijn halfslachtige protest werd in de kiem gesmoord. Te moeilijk om te denken, laat staan iets te zeggen. Ik duwde tegen zijn hand, verlangend naar meer. Ik probeerde die gekmakende aanraking te vangen, dieper in mijn lichaam te trekken, die schreeuwende spanning te verlichten.

"Ja, het is goed. Ik heb je. Laat je maar gaan..."

De opwinding golfde door me heen en begon zich een weg te banen door mijn lichaam, door al mijn zenuwbanen en spoot in romige slierten tevoorschijn. Een snik van opluchting ontsnapte uit mijn keel.

"Wow," mompelde Jake eeuwen later. Hij tekende met zijn vinger een patroon in de kleverige witte massa op mijn onderbuik. Ik opende mijn ogen, knipperde. Hij had een glimlach op zijn gezicht en leek even ontspannen als ik me voelde.

Het lukte me te grijnzen. Hij leunde over me heen, kuste me weer en zei zacht: "Ja, dat vind ik leuk."

Ik liet mijn hand over zijn hoofd gaan, voelde de structuur van zijn korte haar. Het was de eerste keer in onze vriendschap dat ik me vrij voelde om goed te kijken: de harde lijnen van zijn wang en kaak die contrasteerde met de sensuele volheid van zijn lippen, de schrandere schittering in zijn reebruine ogen. Mijn ademhaling ging weer langzamer, mijn hart ging blij tekeer als aan het begin van een zomervakantie. "De volgende keer zal je nog veel leuker vinden."

Hij lachte nog steeds. "We hebben geen haast."

"Spreek voor jezelf," zei ik. Ik was moe, maar het was een goede soort vermoeidheid. Ontspannen en licht. Ik ging rechtop zitten, maar hij duwde me zachtjes terug.

"Op je rug. Ik wil je gezicht zien." Hij keek in mijn ogen. "En je zult de... prikkeling leuk vinden."

We veranderden van houding, het matras kraakte luidruchtig. Ik legde mijn benen over Jakes schouders, waardoor ik kwetsbaar en overgeleverd was, maar ik maakte me geen zorgen meer. Zijn warme handen gleden over mijn billen, spreidden me verder open. Zijn lul rustte tegen mijn natte glibberige anus. Me aankijkend glipte hij naar binnen. "Jezus, dat is lekker."

Ik beet op mijn tanden, dwong mezelf me over te geven.

Hij stopte. Zelfs uitgerekt en voorbereid had mijn lichaam de tijd nodig om zich aan te passen; hij was groot geschapen.

"Zeg mijn naam," beval hij.

"Jake," zei ik hees.

Er flikkerde iets in zijn ogen. Hij gleed helemaal naar binnen. Mijn adem stokte, mijn sluitspier verkrampte rond zijn stijve lid.

"Jezus, je voelt goed. Als een handschoen." Hij stootte tegen me aan, een keer maar, alsof hij niet anders kon.

Ik hijgde, kronkelde een beetje, probeerde nog steeds om ruimte voor hem te maken. In mijn hoofd en in mijn lichaam.

Hij legde zijn handen op mijn borst, rukte aan de tepels. Aanrakingen op mijn borst hadden me nooit eerder echt opgewonden, maar dit voelde verbazend goed. Ik schuurde tegen zijn handpalm. Hij kwam omlaag, kuste me, vurig, hongerig, duwde zijn tong bij me naar binnen. Ik kreunde in zijn mond, wilde meer, verlangde naar meer.

Zijn mond schuurde over de mijne, zijn vingers knepen in mijn tepels. Zoveel gewaarwordingen die me afleidden van zijn reusachtige lid in mijn kont.

"Wat voel je?" Jakes adem was warm tegen mijn gezicht, mijn gekneusde lippen tintelden. "Vertel me hoe het voelt om me in je te hebben." Opnieuw stootten zijn heupen tegen me aan.

Hoe voelde het? Mijn benen voelden week en bibberig, mijn buik zacht en vloeibaar, mijn gaatje voelde geschaafd en brandde van de heerlijke wrijving. Het voelde als een invasie – de invasie van een bevrijdingsleger. Ik voelde mijn gezicht sidderen bij die mengeling van pijn en genot, ik trok mijn ogen open. Hij staarde me aan.

Iets in mijn binnenste knapte, gaf toe, bevrijdde zichzelf. Ik begon te bewegen, spande mijn spieren om hem heen samen, probeerde me tegen hem aan te drukken. Mijn hevige reactie bracht iets teweeg bij hem. Hij riep iets, begon te bewegen, zijn heupen dreunden tegen mijn achterste, hij doorboorde me met elke stoot. De opluchting was dat ik ook ruw kon zijn; ik kon me laten gaan en ook nemen wat ik nodig had.

De veren van het matras piepten, het houten geraamte van het bed kraakte. Jakes handen sloten zich om mijn heupen. Hij veranderde van tactiek, stootte harder, dieper en raakte de plek die zorgde voor de heerlijke sensatie in mijn lichaam. Ik schreeuwde het uit. Jake gromde luid op het ritme van het bonken van het hoofdeind tegen de muur. Ik hield hem stevig vast en voelde hem verstijven.

"Oh, schatje," steunde hij. Zijn lichaam werd hard, zijn gezicht was verwrongen van verrukking. Ik voelde hem hard komen, zijn hete zaad schoot bij me naar binnen.

Verrast realiseerde ik me dat ik ook klaarkwam. Twee keer op één avond. Het was lang geleden dat dat gebeurd was.

"Adrien..." Zijn stem trilde. Hij liet zijn armen onder me door glijden en drukte me tegen zich aan. Ik sloeg mijn armen om hem heen en we wiegden tegen elkaar, onze lichamen uitgeteld, omhuld door warme, zwoele nabijheid.

"Wat ben jij lenig!"

Ik keek om. Jake leunde tegen de deurpost van de voorkamer en keek hoe ik door mijn tweewekelijkse oefenroutine ging.

"Tai Chi," legde ik uit, mijn handpalmen rustend op de vloer. Gisteravond had hij genoeg kans gehad om mijn lenigheid te beoordelen.

"Het lijkt erg op ballet."

"Ik heb ballet gedaan. Dit is Tai Chi."

"Zat jij op ballet?" Jake klonk ontzet. Hij stopte met het krabben aan zijn zonverbrande buik. "Je moeder is een voorbeeld van het feit dat mensen een vergunning zouden moeten hebben om kinderen te krijgen."

Ik ging rechtop staan. "Laat mijn moeder erbuiten."

"Wel ballet, maar niet de padvinders? Het is de schuld van je moeder dat je een flikker bent geworden."

Ik ademde bruusk uit, mijn kalmte verdween in één ademtocht. "Luister, klootzak – en ik gebruik die term bewust – mijn moeder is er niet de oorzaak van dat ik een flikker ben. Als ze had gekozen voor de padvinders of het leger was ik alleen een ander soort flikker geworden, oké? Ten tweede is 'schuld' niet het goede woord. Dit is hoe God me gemaakt heeft. Jij bent zoals God je gemaakt heeft. Alle kinderen van God zijn hoe God ze gemaakt heeft. Als jij denkt dat God een vergissing heeft begaan, regel je dat maar met Hem."

Ik wreef met mijn handdoek over mijn gezicht, gooide hem naar Jake en verdween naar de douche.

Tegen de tijd dat ik mezelf gewassen en gefatsoeneerd had en me weer mijn normale zachtaardige zelf voelde, had Jake het ontbijt op tafel gezet. Ik weet niet of het een zoenoffer was of dat hij gewoon mijn kookkunsten niet vertrouwde na de vorige avond.

"Franse toast?" zei ik vertwijfeld.

"Een kampioenenontbijt. Wil je jam of zal ik bruine suiker smelten?"

Dat klonk eerlijk gezegd afgrijselijk. Ik zei: "Misschien alleen koffie?"

Hij keek nog afkeurender dan mijn moeder, over wie hij

gisteren nog zo negatief was geweest. Ik kreeg mijn koffie met een bord Franse toast, dik besmeerd met jam van wilde appel, en Jake ging tegenover me zitten met zijn ellebogen op tafel. Hij legde zich toe op zijn eten alsof iemand hem een bonus betaalde als hij extra snel klaar was.

"Ik denk dat ik vandaag wat research ga doen in het dorp," zei ik.

Zonder op te kijken van zijn bord knikte hij. "Kijk goed uit."

Dat leek me nu weer een beetje te weinig interesse. Wat zou Jake van plan zijn, vroeg ik me af.

"Eet je ontbijt," grauwde hij.

Ik spoelde de zoete toast door met een mondvol hete koffie terwijl ik erover nadacht. Misschien probeerde hij me te lozen, maar tegenwoordig werd het meeste detectivewerk op de computer gedaan. Jake moest het maar op zijn manier proberen, en ik op de mijne.

Eerst ging ik langs bij de plaatselijke krant. Vroeger, in de glorietijd, werd *The Basking Express The Basking Gazette* genoemd. Het eerste nummer kwam uit in 1887.

Er was een archief, maar dat ging maar tien jaar terug. Alles van daarvoor was verplaatst naar de bibliotheek, waar het was gekopieerd op microfilm.

Dat was tenminste wat ze me vertelden bij *The Basking Express*. De bibliotheek had een ander verhaal.

"We hebben de subsidies nooit gekregen," informeerde juffrouw Buttermit me, de bibliothecaresse met de kristallen bril.

"Dus er staat niets op microfilm?"

"Oh, zo erg is het niet. We hebben de kranten kunnen kopiëren tot… nou, ongeveer de jaren twintig."

"Wat is er met de kranten gebeurd van voor de jaren twintig?"

Juffrouw Buttermits doffe ogen flikkerden achter de kitscherige bril. "Ze zijn bewaard gebleven. In zekere zin."

"In welke zin?"

"In die zin dat ze ingebonden in de kelder liggen."

Voorzichtig vroeg ik: "Zou het mogelijk zijn om –?"

"Alleen het personeel van de bibliotheek heeft toegang tot de kelder," verontschuldigde ze zich vastberaden.

Ik dacht er over na.

"Waar was u naar op zoek, meneer English?"

Dat was de grote vraag. Ik had geen theorie; ik had eigenlijk niet eens een hypothese. Eigenlijk had ik alleen maar een vaag vermoeden.

Ik gaf juffrouw B een vaag antwoord en liep naar de computer. De rest van de ochtend bracht ik door met het bestuderen van de microfilms van *The Basking Gazette*, waarbij ik getrakteerd werd op hun visie op gebeurtenissen als de Vietnamoorlog, de moord op Ghandi en de voltooiing van de Cascadetunnel.

Ik las het overlijdensbericht van mijn overgrootvader en de aankondiging van mijn grootmoeders verloving met Thomas English. Eindeloos veel microfilms later las ik ook haar overlijdensbericht.

Interessant maar niet relevant. Als mijn vermoeden klopte lag het antwoord dat ik zocht begraven in een ver verleden, begraven onder de ruïnes van de begindagen van Basking.

Ik ging elders een kop koffie drinken en ging daarna terug naar de bibliotheek.

"Met wie moet ik praten om toegang te krijgen tot de boeken in de kelder?" vroeg ik aan juffrouw Buttermit.

"Dan zou u het hoofd naslagwerken moeten bellen en een afspraak maken. We moeten weten waarom en met welke bedoelingen u die oude en kwetsbare onderzoeksmiddelen wilt gebruiken." Haar slechte ogen knipperden achterdochtig naar me vanachter haar bril.

Ik zei: "Ik ben auteur. Ik doe onderzoek voor een boek."

Ze herhaalde het alsof ze het uit haar hoofd had geleerd: "Als ik nu precies wist wat u zoekt?"

Een stem achter mij riep uit: "Adrien, wat doe jij hier?"

Bij deze onderbreking draaide ik me om en zag Kevin. Hij keek verrast en zijn overdreven enthousiasme was volkomen buiten proportie voor de omstandigheden. Hij was niet de enige; het gezicht van juffrouw Buttermit straalde helemaal.

"Hoi, Mitty," begroette Kevin haar.

"Wel wel, Kevin!"

Ik beantwoordde Kevins vraag, blij te zien dat hij nog steeds op vrije voeten was, in ieder geval voorlopig. "Ik probeer toegang te krijgen tot de oude kranten in de kelder."

"Geen probleem," zei Kevin. Toen ving hij juffrouw Buttermits blik op en keek schuldig. "Oh. Het is wél een probleem?"

"Schijnbaar."

"Nou, Kevin," zei juffrouw Buttermit vermanend. "Je weet dat er bepaalde wégen te bewandelen zijn."

"Ja, maar Adrien is…" Kevin scheen niet helemaal zeker te weten hoe hij me moest beschrijven. "Wat denk je hiervan," stelde hij plotseling voor, "ik ga met Adrien mee naar beneden en neem de verantwoordelijkheid op mij."

Ik deed mijn mond open om te zeggen dat dat niet nodig was, maar sloot hem meteen weer. Misschien was het wel nodig. In mijn eentje lukte het in ieder geval niet. Ik zag hoe Kevin zijn hoopvolle puppyblik inzette.

"Dit is een erg grote verantwoordelijkheid, Kevin," merkte juffrouw Buttermit na een paar seconden op. Als een echte conciërge haalde ze een sleutel van haar enorme sleutelring en gaf die aan hem.

Ik volgde Kevin langs de waterkoelers en de toiletten twee trappen af. Kevin deed de kelderdeur van het slot en we stapten een kamer binnen met de koelte en de geur van een groentebak in een koelkast. Ik wachtte totdat Kevin aan het touwtje trok om het peertje aan het plafond aan te doen. Fel licht weerkaatste tegen de vervaagde groene muren en een cementen vloer die zijn kleur was verloren door vochtvlekken.

"Jezus –" Ik maakte de zin niet af. Er waren dossierkasten, een paar gebroken boekenplanken, een kapotte stoel, maar er waren vooral boeken. We werden omringd door dozen en dozen en dozen vol boeken.

"Ik denk dat de kranten daar staan op die metalen rekken."

Ik stapte over een doos boeken met daarop een stempel "Afgedankt" en greep me vast aan een metalen rek vol hardbacks om in evenwicht te blijven. Het rek schommelde alarmerend. "Ik zou hier tijdens een aardbeving niet willen zitten," merkte ik op.

"Ja, echt. Maar er komt hier nooit iemand."

Ik sloeg het dichtstbijzijnde boek open.

Een blik was voldoende om te zien dat ik inderdaad de eerste jaargangen van *The Basking Gazette* in handen had.

"Van deze is geen index," zei Kevin. "Waar zijn we naar op zoek?"

"Alles wat met de Red Rover-mijn te maken heeft."

Hij keek geïnteresseerd op. "Hoezo?"

"Het is maar een idee." Ik nam hem eens goed op. Ik vond Kevin leuk, maar ik respecteerde Jakes mening. Jake had veel ervaring met slechteriken. "Kevin, heeft Livingston ooit gebeld op de dagen dat hij niet bij de opgraving was?"

Zijn mond viel open. "Hij was dóód," herinnerde hij me.

"Dat besef ik, ja, maar heeft er ooit iemand opgebeld die beweerde dat hij Livingston was? Of heeft iemand in het kamp ooit beweerd dat ze iets van hem hadden gehoord?"

Kevin had een vreemde uitdrukking op zijn gezicht. "Ja," zei hij langzaam. "Hij heeft zich gemeld – of dat dachten we tenminste."

"Wie nam die telefoontjes aan?"

Kevin schudde zijn hoofd. "Amy? Marquez? Ik weet het niet zeker. Er was een paar keer een geschreven boodschap."

"In wiens handschrift?"

"Weet ik niet zeker. Niemand stelde vragen over de briefjes." Hij fronste nadenkend. "Shoup leek contact met hem te hebben. Dat is tenminste wat we allemaal dachten."

Ik probeerde een andere benadering. "Hoe zit het met die

mijn? Waarom is iedereen er zo in geïnteresseerd?"

Kevin sputterde: "Jij bent degene die oude kranten wil doorzoeken. Heb jij geen – geen –"

"Plan?"

"Nee. Een – een –" Hij gebaarde boven zijn hoofd.

"Theorie?"

"Ja, een theorie. Denk je echt dat één van ons Livingston heeft vermoord? Waarom? Om een mijn waarvan we niet eens wisten dat we die zouden vinden?"

"Had iemand problemen met Livingston? Had iemand ruzie met hem?"

"Nee. We bewonderden de man allemaal. We vonden hem allemaal aardig."

"Wie niet?"

"Niemand! Hij was..." Kevin schudde zijn hoofd. "Hij was niet het soort persoon dat wordt vermoord."

"Wat bedoel je?"

"Hij was een… een wetenschapper en een heer. Dat zal wel sentimenteel klinken. Archeologie was zijn passie, maar hij hield ook van lesgeven. Hij hield ervan zijn kennis te delen en hij was in staat het verleden tot leven te laten komen. Hij maakte van archeologie veel meer dan oude botten en gebroken potten."

Ik ging in de kapotte stoel zitten. Die wankelde vervaarlijk terwijl ik bladerde in het boekwerk dat ik vasthield.

Opeens zei Kevin: "Heeft iemand je ooit verteld dat je een beetje lijkt op die oude acteur?"

"'Oude' acteur?"

"Nou, zó oud was hij niet. Toen niet. Hij speelde de priester in die Hitchcock-film."

"Ik doe je denken aan een oude priest–"

Kevin gniffelde luid. "Je weet wel wie ik bedoel. Hij zag er heel goed uit."

"Voor een oude priester."

"Ja." Nog steeds grinnikend nam hij een boek van de plank en ging op een doos tegenover mij zitten.

"Hé," zei hij na een uurtje in stilte lezen, "dit gaat over het zinken van de Titanic. 'Mr. Hubert Duke, een inwoner van Basking, was aan boord van het gedoemde schip,'" las hij hardop. "Erg leuk."

"Beangstigend." Ik keek op. "Wanneer was de Titanic? 1912? Je moet een paar decennia teruggaan."

"Basking werd gesticht in 1848."

"Royale kwam in 1849 naar het westen. We zoeken waarschijnlijk iets rond de jaren 1850. Wanneer stierf Royale?"

"Geen idee." Hij zette het boek terug op de plank en nam een ander. "Dit kan eeuwig duren," mopperde hij.

Ik was bang dat hij gelijk had.

Er ging nog een uur voorbij en juffrouw Buttermit bracht ons koffie in kartonnen bekertjes en een bord met vijgenkoekjes.

"Hoe komt het dat jij juffrouw Buttermit in je macht hebt?" vroeg ik aan Kevin, terwijl ik de kruimels van mijn handen veegde.

"Hè? Mitty? Ze is een schatje, niet? Ze is één van ons."

"Eén van ons?"

"Gay. Nou ja, lesbisch." Hij grinnikte om mijn gezichtsuitdrukking. "Ze is niet uit de kast of zo. Dat kunnen mensen van haar generatie niet."

"Kunnen ze dat niet?"

"Niet in een dorp."

Ik was hierover nog aan het nadenken toen Kevin zijn blik omlaag liet gaan naar de pagina voor hem. "Moet je dit horen, Adrien. 'Abraham Royale stierf op vijfenveertigjarige leeftijd.'"

"Wat was de datum?"

"Elf September 1860. Heb je gemerkt dat er nummers ontbreken?"

"Ik hoopte dat het alleen maar zo leek omdat ze niet geïndexeerd zijn."

"Nee, kijk hoe de data verspringen in dit boek. Het lijkt wel of iemand erin heeft zitten scheuren."

Ik onderzocht het boek. Het leek er inderdaad op dat iemand

een scheermes ter hand had genomen bij verschillende bladzijden.

"Waar kunnen er nog meer exemplaren van deze krant zijn? Bij de plaatselijke universiteit?"

Kevin schudde zijn hoofd. "Ik weet het niet. Misschien was niet alles opgeslagen. Misschien zijn er kopieën verloren gegaan of vernietigd. Dit spul is behoorlijk kwetsbaar."

Voorzichtig sloeg ik een vergeelde pagina om. De geschiedenis verging letterlijk tot stof in mijn handen.

"Deze pagina's waren hier ooir. Ze bestonden en iemand heeft ze weggehaald. Waarom?"

"Het kan jaren geleden gebeurd zijn, Adrien."

Ik nam het boekwerk aan van Kevin en bekeek het aandachtig. In het kort, Abraham Royale stierf aan een hoofdwond na een val van de grote trap in zijn huis. Er waren geen getuigen bij het ongeluk en Royale was nooit meer bij bewustzijn geweest. Zijn vrouw, Alicia Royale, meisjesnaam Salt, was zijn enige erfgename.

"Salt." Ik keek op. "Waar heb ik die naam eerder gehoord?"

Kevin, met zijn mond vol vijgenkoekjes, schudde zijn hoofd.

"Vrouw? Waren ze niet gescheiden? Ze ging er toch vandoor met de hoefsmid?"

"Misschien wilde hij niet van haar scheiden," zei Kevin schor. Jake had gelijk, hij had sproeten op zijn neus. Als gouden stofjes. Om te zoenen.

"Misschien. Misschien duwde ze hem. Het klinkt alsof hij een aanzienlijk fortuin heeft nagelaten." Ik kauwde bedachtzaam op mijn lip. "Salt! Ik weet het weer. Barnabas Salt. Zo heette Royales partner in de Red Rover-mijn. Alicia moet zijn dochter geweest zijn." Ik dacht hier even over na. "Dat moet voor gênante situaties gezorgd hebben bij de spoelbakken."

"Salt was al dood toen Royale met zijn dochter trouwde."

"Hoe weet je dat?"

"Dat staat in het overlijdensbericht."

Ik las verder. Kevin had gelijk. Salt was een paar jaar eerder door Mexicaanse bandieten vermoord tijdens een schietpartij.

"Het zou interessant zijn om hier meer over te lezen," zei ik. "Kijk eens of je iets terugvindt over die schietpartij met de *banditos*."

"Het zou één van de ontbrekende nummers kunnen zijn."

"Of niet."

We doorzochten de resterende boeken, wat niets opleverde.

"Hier is iets," zei Kevin, weer een lange stilte verbrekend. "In Senex Valley werd een verminkte stroper gevonden. Waar ligt in vredesnaam Senex Valley?"

"Hm? Senex Valley is de oude naam voor Spaniard's Hollow en het omliggende gebied."

"Wanneer veranderde de naam?"

Ik antwoordde afwezig: "Dat weet ik niet zeker. Blijkbaar na de schietpartij tussen Salt en de bandieten."

"Spanjaarden zijn geen Mexicanen."

"Als je bedenkt dat Mexico en Californië in 1820 nog onder Spaans bewind vielen, denk ik dat we wel van een culturele overlapping mogen spreken."

De stilte werd alleen doorbroken door het geluid van omgeslagen pagina's.

"Dit is behoorlijk gruwelijk," merkte Kevin op, nog steeds helemaal opgeslokt door *The Gazette*.

Ik keek op mijn horloge. "Jezus! Het is vijf uur!"

Kevin sloeg het boekwerk dicht. "Geen wonder dat ik zo'n honger heb." Toen ik opstond vroeg hij veel te nonchalant: "Zal ik je trakteren?"

"Nee, dat gaat niet." Ik schoof het boek terug op de plank en stak mijn hand uit om dat van Kevin aan te nemen. "Bovendien moet jij terug naar het kamp."

Hij overhandigde me het boek dat hij vasthield. "Er is me gevraagd weg te blijven tot mijn naam gezuiverd is." Hij hield zijn groene ogen afgewend.

"Gezuiverd?"

"Van de moord op Livingston." Hij glimlachte stuurs.

"Wiens idee was dat?"

"Van professor Shoup. Maar zelfs professor Marquez was het er mee eens." Even keek hij naar me op. "Zo zie je maar, jij bent niet de enige die denkt dat ik tot moord in staat ben."

"Kev–"

"Nee, het is oké. Ik bedoel, waarom zou ik het niet zijn?"

"Omdat je het niet gedaan hebt?"

"Geloof je dat?"

Voor ik antwoord kon geven draaide hij zich om. Hij deed het licht uit en de deur naar de kelder op slot. Toen we onder aan de trap stonden zei hij: "Ik hoorde dat het je vriend was die het lijk van Harvey vond in die grot."

"Eh, klopt." Ik was verbaasd over het aantal leugentjes die mijn voormalige padvinder tegenwoordig rondstrooide. Niet dat ik zijn bemoeienis niet waardeerde. Ik kon me voorstellen wat de sheriff gezegd zou hebben als ik nóg een lichaam had ontdekt.

Over zijn schouder vroeg Kevin: "Wat was hij aan het doen in die grotten? Was hij op zoek naar Harvey?"

"Nee." Ik probeerde mijn gedachten (en blik) af te wenden van de welgevormde billen in de strakke jeans die op ooghoogte voor me bewogen toen we de trap opliepen. "Zijn de sheriffs niet iedereen aan het ondervragen?" wilde ik weten.

"Dat zeggen ze, maar ze wachten alleen maar op het ballistisch onderzoek zodat ze me kunnen arresteren."

We bleven hier maar op terugkomen. "Waarom zouden ze denken dat je Livingston vermoord hebt?"

"Ik zou het niet doen. Ik had geen reden. Hij was een geweldige vent."

"Iemand denkt daar blijkbaar anders over."

"Dan was het iemand die hem niet kende."

Ik wou dat ik zijn gezicht kon zien toen ik vroeg: "Weet je zeker dat Livingston met niemand ruzie had? Waren er problemen tussen Livingston en Shoup?"

"Nee." Hij vulde aan: "Niet dat ik weet tenminste."

"Weet je of Livingston Ted Harvey ooit heeft ontmoet?"

"Ik denk dat hij een paar keer langs is geweest toen we net het kamp opzetten. Er was nooit een confrontatie."

Eenmaal boven gaf Kevin de sleutel van de kelder terug aan de vervanger van juffrouw Buttermit. Toen we naar buiten liepen, de lenteavond in, legde hij een hand op mijn arm.

"Adrien, over gisteren..."

Ik lachte. "Vergeet het."

Zijn vingers spanden zich. "Ik wil het niet vergeten." Een inwendige worsteling leek plaats te vinden terwijl de ouderwetse straatlantaarns één voor één aansprongen. "Het is niet makkelijk om homo te zijn in een stadje als Basking."

"Het is niet makkelijk in een stad als LA. Het is niet makkelijk."

"Ik wou alleen –"

Ik zei bijna "ik ook," wat een vergissing zou zijn geweest, niet in het minst omdat het niet waar was. Mijn persoonlijk leven was zo al ingewikkeld genoeg.

In plaats daarvan klopte ik hem op zijn schouder, stapte in de Bronco en reed weg, Kevin op de promenade achterlatend, in de schaduw van een zwaaiend bord in de vorm van een laars.

Ik reed via een omweg naar huis. De verkenning van de grot gisteren had niet helemaal opgeleverd wat ik verwacht had; wat betekende dat het bewijs dat ik nodig had daar nog steeds ergens was – en ik dacht dat ik wel wist waar.

Na anderhalf uur rondsnuffelen op heuveltoppen, kruipend door de struiken en omlaag glijdend langs de bergwand, was ik niet meer zo zeker.

Uitrustend op een platte rots die uitkeek over het vreemd rustige kamp van de archeologen dacht ik nog eens na over mijn briljante plan. Opeens zag ik vreemde inkepingen in het uitgesleten oppervlak. De uithollingen in de granieten aardlaag betekenden dat de platte rots gediend had als *metate* of handmolen. Indiaanse vrouwen hadden hier decennia lang zitten kletsen en eikels gemalen voor brood door *manos* of maalstenen te gebruiken.

Ik wist dat ik op het goede spoor zat – letterlijk.

Eigenlijk...

Vermoeid hees ik me recht en ging op zoek tussen het onkruid en de keien, en inderdaad, voor zonsondergang had ik mijn bewijs gevonden, in de vorm van de laatste Japanse technologie.

Niet dat dat me ook maar enigszins plezier deed.

Het was bijna donker toen ik de ranch bereikte. De schemering wierp lange schaduwen tussen de bergen. Frederick Remington had de zonsondergang in de verte geschilderd kunnen hebben, met het blauw van de nationale vlag en het roze van brandend hout, toen ik door het hek van Pine Shadow reed. In het licht van mijn koplampen zag ik Jake vastberaden over het terrein lopen, de sleutels in zijn hand. Ik parkeerde en stapte uit.

"Waar ben je verdomme geweest?" Aan het sergeantachtige geschreeuw te horen zou je denken dat ik mijn spertijd had overschreden. Toen voegde hij eraan toe: "Ik wou je al gaan zoeken."

Wel, dat klonk toch aardig. Het had fijner geweest als ik ter begroeting was gekust, maar Jake bleef op een armlengte afstand staan.

"Ik was de tijd vergeten." Ik hield een slag om de arm, nog niet wetend wat ik zou doen met het voorwerp in mijn jaszak.

"Wat was je aan het doen?"

"Oude kranten doorzoeken." Ik twijfelde of ik zou vertellen over Kevins aanwezigheid en besloot dat op dit punt eerlijkheid het beste was. "Ik kwam Kevin tegen."

"Toeval?" vroeg Jake. "Ik denk het niet."

"Ik denk het wel."

Hij liep me achterna, de verandatrap op en het huis in. Ik trok mijn jas uit en keek naar Jake die, ineenkrimpend, hetzelfde deed.

"Hoe is het met je arm?" vroeg ik.

"Niet zo stijf meer." Hij trok zijn schouder op alsof hij zich voorbereidde op het werpen van een bal. "Het jeukt als de ziekte. Ik denk dat dat een goed teken is."

"Niet als het ontstoken is. Maar wat heb je vandaag gedaan?"

"Een paar telefoontjes gepleegd," zei hij vaag.

We stonden zo ongeveer quitte wat betreft het uitwisselen van informatie. "Oh ja? Wat eten we? Sinds het ontbijt heb ik alleen nog maar koffie en koekjes gehad."

Ik begaf me naar de keuken waar ik gegrilde biefstuk aantrof die stond koud te worden op het fornuis en twee borden met gebakken aardappels en garnering.

"Wow. Een man zou hieraan kunnen wennen," merkte ik op.

Geen commentaar van Jake.

Terwijl we aten vertelde ik hem wat ik had ontdekt – het meeste van wat ik had ontdekt, tenminste. Hij luisterde onbewogen alsof hij aan de andere kant van de tafel zat tijdens een ondervraging.

"Laat eens kijken of ik je goed begrijp. Jij denkt dat er meer dan honderd jaar geleden iets gebeurd is dat te maken heeft met de dood van Harvey en Livingston?"

"Ik denk dat dat mogelijk is."

"Uhuh." Hij kauwde woest, slikte en vroeg: "En de weerwolf?"

"Lach maar, maar dit is een vreemde plek. Weet je dat er de afgelopen honderd jaar meer dan vijftien verminkte lichamen zijn gevonden in deze bossen?"

"Weet je hoeveel verminkte lichamen er de afgelopen honderd jaar opgedoken zijn in de Angeles Crest Forest? Genoeg."

"Dat is geen goede vergelijking, Jake. Dit is een klein, relatief geïsoleerd gebied." Ik legde mijn mes en vork neer. "Ze noemden deze plek Senex Valley. Senex is Latijn voor oud. De Ouden. De Eersten… begrijp je?"

Jake wreef over zijn voorhoofd alsof hij een hoofdpijn voelde opkomen.

"Misschien is dat niet belangrijk," zei ik snel.

"Misschien?"

"Maar er is iets niet helemaal zuiver aan die Red Rover-mijn."

"Zoals?"

Om te beginnen verlieten Royale en zijn partner Barnabas Salt de mijn. Ze dachten dat die waardeloos was en gingen verder. Toen kwamen ze om de één of andere reden terug naar de mijn en vonden een ader."

"Dus?"

"Dat is niet normaal. Het gebeurde praktisch nooit."

"Maar het is mogelijk, toch?"

"Het is niet ónmogelijk, dat geef ik toe. Maar er is nog iets bizars. Na de dood van Royale probeerden ze de mijn te ontginnen. Maar de mijn was uitgeput, leeg."

"Wie waren 'ze'?" wilde Jake tot op de bodem gaan.

"Ik denk dat de ex-vrouw iemand inhuur–"

"Maar dat weet je niet."

"Ik weet niet wíé. Ik weet wel dat na de dood van Royale de pogingen om de Red Rover-mijn te ontginnen mislukten. Daarom werd de mijn verlaten en uiteindelijk vergeten."

"En dat wil wat zeggen volgens jou?" Hij streek afwezig over de goudkleurige stoppels op zijn magere kaak, alsof hij opeens merkte dat hij zich moest scheren. Ik herinnerde me het kietelen van die haartjes tegen mijn blote rug. Het vergde enige concentratie om mijn gedachten in een andere richting te krijgen.

"Vanwaar al die interesse in een mijn die al zo lang niet meer in gebruik is?"

Jake duwde zijn bord aan de kant en schoof zijn stoel naar achteren, zijn armen achter zijn hoofd vouwend.

"Zoals je maatje Shoup zegt: het is historisch gezien interessant. Denk jij dat alleen dingen die geld waard zijn historisch interessant zijn?"

"Natuurlijk niet, maar volgens Marquez was Shoup geïnteresseerd in de mijn omdat het een belangrijke vondst was. Ik begrijp gewoon niet hoe een lege goudmijn een belangrijke vondst kan zijn."

"Moeilijk te zeggen, met al die fondsen en subsidies en gekke

professoren."
"Denk jij niet dat het interessant is?"
"Ik veronderstel dat het interessant is." Hij haalde zijn schouders op.

We waren intussen klaar met eten. De sterren schenen door de ramen. Ik stond op, begon de borden in de gootsteen te zetten en vroeg me af hoe we het met slapen zouden doen. Was gisteravond eenmalig geweest of hadden we het begin van een gewoonte gemaakt? Niets in Jakes houding of gedrag was veranderd, niet ten goede en niet ten kwade.

Hij zat daar onbeweeglijk terwijl ik heen en weer liep. Buiten het kraken van een vloerplank, iedere keer dat ik passeerde, was het griezelig stil in de keuken.

Toen de vier poten van zijn stoel opeens met een klap de vloer raakten, sprong ik op van de schrik.

Hij trok zijn wenkbrauwen op. "Wat is er met jou?"

Ik schudde schaapachtig mijn hoofd.

Jake grijnsde en duwde zich af van de tafel. "Laat de borden toch staan," stelde hij voor.

Nuchter was het anders: langzamer, zachter. Jake verkende mijn lichaam met een doortastendheid alsof hij op zoek was naar aanwijzingen. Of misschien was hij aan het vergelijken, inspecteren wat er niet was, inspecteren wat er wel was.

Hij probeerde een paar dingen, kijkend naar mijn gezicht hoe ik het opnam – en ik nam het op als een man, hem aanmoedigend zoveel ik kon zonder hem verlegen te maken.

"Is dit genoeg voor je? Alleen… dit?"

"Genoeg…?" Naar adem snakkend, bonkte ik tegen zijn hand. Hij had fantastische handen, lange sterke vingers die zacht aanvoelden, ondanks het eelt. "Ik zeg niet dat ik het niet fijn zou vinden als… oh, Jezus, dat is lekker… "

Ik sloot mijn ogen, genietend van zijn aanrakingen en opende ze weer toen zijn woorden tot me doordrongen. "Is het voor jou niet genoeg?" Ik wist niet precies waar we over praatten. Over de seks zelf of dat de seks alles voor hem was? Wilde hij me een penisring omdoen of was hij bang dat ik een trouwring om zijn vinger wilde doen?

"Dat zei ik niet." Toen, heel vreemd, zei hij: "Ik heb je die nacht met Green gehoord."

Het kostte me moeite meer op zijn woorden dan op zijn aanraking te reageren. Eerst begreep ik niet waar hij het over had, toen wel. Ik keek hem aan. Wat kon ik zeggen? De nacht waar hij het over had, de nacht dat ik had ontdekt wie twee van mijn beste vrienden had vermoord – en waarom – was iets waar ik nog steeds niet over wilde nadenken. Aanvankelijk was ik er te geschokt en te ziek van geweest. En nu... voelde het veiliger om niet meer achterom te kijken.

"Hij heeft je pijn gedaan."

"Ik herinner het me niet. Misschien."

"Je liet het gebeuren."

Opnieuw had ik geen antwoord. Ik vond het raar om te beseffen dat Jake had gehoord dat Bruce me naaide, maar dat was nauwelijks het vreemdste aan die bewuste avond.

En die avond was nauwelijks het vreemdste aan mijn relatie met Bruce.

"Je liet het gebeuren, maar je genoot er niet van."

"Nou, nee." Voorzichtig vroeg ik: "Genoot jij ervan? Om ons te horen, bedoel ik."

"Nee." Opeens leek zijn gezicht ouder, strak, somber. "Je was bang. En ik was bang. Ik dacht dat je zou sterven."

Die nacht had ik ook gedacht dat ik zou sterven. Het was vreemd om terug te kijken vanuit de veiligheid van Jakes armen. Bruce, die zei dat hij van me hield, had me genaaid op alle mogelijke manieren. En Jake, die alleen sprak over neuken, en nooit over gevoelens, had al bewezen geen zelfzuchtige minnaar te zijn.

Ik zei – en ik dacht dat ik een grapje maakte, maar het kwam er niet zo uit: "Ik wist dat je me zou redden."

De pijn op zijn gezicht kneep mijn keel dicht. Hij leek iets te willen gaan zeggen, maar veranderde toen van gedachten. In plaats daarvan drukte hij hongerig zijn mond op de mijne.

Mijn beurt om te strelen en te sussen.

Een paar dingen waren me al duidelijk: hij wilde altijd de baas zijn – daar ging de theorie over seksuele rollenspellen die tegengesteld waren aan die in het echte leven – en hij was een veel gullere minnaar dan ik me had voorgesteld.

Eigenlijk kon ik me niet herinneren ooit met iemand samen te zijn geweest die zich zo hard concentreerde op wat ik voelde en ervoer. Het vervulde me met tederheid en maakte dat ik evenveel aandacht terug wilde geven.

"Draai je om."

"Ik?" De verbazing in zijn stem liet me grijnzen.

"Nee, de weerwolf onder het bed. Ja, jij."

Hij hees zichzelf op zijn rug, bekeek wantrouwig mijn gezicht toen ik over hem heen boog. Misschien moest hij gewoonlijk een ander bevelen om dit te doen.

Ik woelde met mijn vingers door de springerige gouden krullen van zijn kruis.

"Waarom lach je?" gromde hij.

"Ik geniet alleen even van wat je hier hebt."

Hij gromde, maar het geluid veranderde abrupt – werd zacht en verrast – toen ik hem in mijn mond nam. Zijn hele lichaam verstrakte. Ik bewoog helemaal langs de enorme lengte van zijn lul, begroef mijn neus in het zachte nest, ademde hem in. Zijn heupen schudden onder me.

Hij rook heerlijk. Smaakte ook heerlijk. Sterk maar schoon. Als vers gemaaid hooi of nieuw leer.

Ik zoog aan zijn eikel, een natte hete diepe kus, trok hem naar binnen. Zijn heupen bewogen omhoog en heel even duwde de hardheid van zijn buik tegen mijn gezicht. Ik inhaleerde zijn warmte, bewerkte hem, vond met mijn tong het spleetje, duwde.

Jakes hoofd viel op het kussen, met zijn handen in mijn haar trok hij me dichter naar zich toe.

"Adrien..." Het onderdanige plezier in dat ene woordje maakte het me makkelijk mijn eigen ongemak te negeren. Dit ging helemaal om Jake.

Ik nam de tijd. Hij stootte in mijn keel, zijn magere lichaam gekromd, zijn heupen pompend. Ik zoog hard. En knabbelde dan weer zacht en teder. Zoog dan weer harder. Dan langzaam en rustig.

"Niet stoppen," bracht hij uit, zijn stem ruw en onvast.

Ik glimlachte om zijn stijve lul heen, reikte eronder en bevingerde voorzichtig zijn ballen.

Jakes hoofd viel terug op het kussen en hij gromde. Hij begon klaar te komen, rillend alsof hij koorts had, en spoot lange witte straaltjes, genietend van het feestje dat ik hem had gegeven.

Prachtig om te zien.

Na enige tijd stopte hij met knipperen naar het plafond en draaide zijn hoofd mijn kant op, een vreemd soort halve glimlach op zijn gezicht.

Een paar uur later werd ik wakker in een kamer die verlicht werd door de maan. Ik bleef even liggen luisteren.

De stilte klonk alsof ze net doorbroken was geweest.

Ik steunde op een elleboog.

Had ik dat verre huilen echt gehoord of maakte het deel uit van mijn nare dromen? De stilte die nu in mijn oren weerklonk was alleen maar lege lucht.

Jake maakte een geluid tussen snurken en een grom en rolde op zijn zij. Een weerwolf zou op het voeteneind moeten staan springen voor hij het merkte.

Ik tilde de dekens op en legde mijn hoofd tegen Jakes rug. Zijn blote huid voelde warm en glad aan tegen mijn gezicht. Troostend. Ik kuste hem onder zijn schouderblad.

Seks was niet alles. Er waren andere dingen: iemand die je bijstaat in ziekte en gezondheid, iemand waar je mee wakker wordt op kerstochtend, iemand die je borg betaalt als je in de gevangenis zit. Vriendschap telde. Seks was niet alles – maar het was veel.

Jake begon te snurken.

13

“Marnie Starr heeft een alibi voor de nacht dat Ted Harvey werd vermoord,” informeerde Jake me tijdens de eieren met bacon die ochtend.

“Oh? Oh.”

Jake interpreteerde mijn gebrek aan enthousiasme correct en zei: “Ik weet dat je denkt dat de dood van Harvey en Livingston met elkaar te maken hebben, en ik weet dat je je hart hebt verloren aan verlaten goudmijnen en spookachtige moordenaars, maar het kan nooit kwaad de makkelijke vragen het eerst te beantwoorden.”

Ik negeerde de spottende opmerking. “En wat is haar alibi?”

“Mevrouw Starr speelde bingo. Minstens tien mensen willen getuigen dat ze de hele nacht in de Moose Club was en uiteindelijk naar huis ging met een prachtige kamerplant.” Jake goot meer koffie in mijn kopje en toen in dat van hem. “Jouw Kevin daarentegen, heeft geen alibi.”

Ik verbaasde me erover dat hij me dit gisteravond niet had verteld. Had hij de sfeer niet willen verpesten? “Heeft verder iedereen op het kamp een alibi?”

“Shoup en Marquez waren bezig met gridkaarten maken of zoiets.”

“Midden in de nacht?”

“Dat zeggen ze. Er is geen reden om daaraan te twijfelen. En ‘Pocahontas’ was bij vrienden in Sonora. O’Reilly en hoe-heet-ze-ook-alweer-Bernice sliepen op het kamp – niet samen, dus dat telt niet als alibi. Het meisje, Amy, had de eerste wacht en beweert dat ze daarna is gaan slapen.”

“Dus behalve Marquez en Shoup heeft niemand een alibi. Het betekent dus eigenlijk niets.”

“Het is niet afdoende.”

“Hoe zit het met de autopsieresultaten? Het lab? Ballistische rapporten?”

“Gisteren had Billingsly het ballistisch rapport nog niet. De autopsie bevestigde dat het lichaam in de grot van Harvey was; dat hij hoogstwaarschijnlijk donderdagnacht of vrijdag vroeg in de ochtend is gedood; en hypothetisch, dat hij vermoord is met hetzelfde wapen als Livingston, waarschijnlijk een .22 holle punt.”

“Waarom duurt dit zo lang?”

Jake trok zijn wenkbrauwen op. “Het duurt niet ‘zo lang’. Dit is geen televisiefilm waarin ze binnen een kwartier de uitslagen hebben. Labresultaten hebben een dag of twee nodig. Daar komt bij dat dit een klein stadje is en dit is niet bepaald een… dringende… zaak.”

“Hebben ze bevestigd dat Kevins geweer gebruikt is?”

Jakes honingkleurige ogen ontmoetten de mijne. “Ze hebben het niet bevestigd, maar het geweer van dat joch is recentelijk afgevuurd en de lading klopt. Het was zijn geweer.”

“Hij bewaart dat geweer in een speciaal rek in zijn pick-up. Iedereen kan het geleend hebben.”

“Je vermoedt opzet?”

“Ja, zonder twijfel. Eerst werd Livingston vermoord en verstopt in de schuur. Waarom?” Ik beantwoordde mijn eigen vraag. “Omdat iemand wou verdoezelen dat hij dood was. Zijn auto stond in de stad geparkeerd zodat iedereen zou denken dat hij, zoals gepland, naar San Fransisco was gegaan. En als zijn lichaam wél gevonden werd, zou men Harvey verdenken.”

“Harvey ís erbij betrokken. Zijn dood bewijst dat.” Jake slikte een mondvol koffie door. “Heb je enig idee wat de straatwaarde is van een heel veld marihuana?”

Ik zette mijn kleine grijze cellen aan. “Je moet het kunnen verwerken en op de markt brengen. Het zou afhangen van de kwaliteit… en de omgeving.”

“Als we dat allemaal meenemen, heb je dan een ruwe notie van wat die rotzooi waard was?”

“Nee.”

Jakes mond vertrok. "Laatst lag de geschatte waarde van een pond cannabis tussen de 700 en 900 dollar. Een halve hectare zou ongeveer 50.000 tot een slordig miljoen kunnen opbrengen. Nou, denk je nu nog steeds dat drugs geen motief was?"

Dat bracht mijn zekerheid aan het wankelen, moest ik toegeven. "Het is toch niet het enige mogelijke motief?"

"Nee, maar wel het meest waarschijnlijke." Hij reikte in de zak van zijn flanellen shirt en zette een misvormd stuk metaal naast de pepermolen. "Dit haalde ik tevoorschijn uit de steunpaal van je veranda. Het is een 30.06."

Zoals ik al vermoedde was de reden voor zijn inschikkelijkheid over mijn onderzoek bij de bibliotheek dat hij van plan was geweest om achter mijn rug serieus onderzoek te doen.

"Dus iemand anders schoot op ons?"

"Of dezelfde eikel gebruikte een ander pistool."

"Omdat ze niet bij dat van Kevin konden komen?"

Jake zuchtte.

"Vertel me wat jij denkt dat er gebeurd is," nodigde ik hem gul uit en pakte mijn koffiekop.

"Ik weet niet wat er gebeurd is. Ik kan wel wat bedenken. Harvey had een koper geregeld. Iemand met connecties, misschien een student op een plaatselijke universiteit. Livingston kwam erachter, begon te dreigen. Deze onbekende persoon elimineert Livingston. Misschien probeert hij Harvey hiervoor op te laten draaien door Livingston hier in de schuur achter te laten. Het is duidelijk dat Harvey en zijn bondgenoot in onmin raakten want Harvey werd vijf dagen later koud gemaakt."

Het klopte precies. Logisch. Afwezig krabde ik aan de wespensteek op mijn hand. Omlaag kijkend naar de rode plek schoot me een vage herinnering te binnen.

Jakes volgende woorden onderbrak mijn gedachtegang. "Uit alles wat ik heb kunnen ontdekken, blijkt dat Livingston een respectabele vent was. Streng maar eerlijk; dat heb ik zo'n drie keer gehoord. Het slechtste wat iemand over hem te zeggen had was dat het hem aan verbeelding ontbrak."

"Wie zei dat?"

"Professor Shoup."

"Heb je ook achtergrondinformatie opgezocht over Shoup, toen je toch bezig was?"

Jake bestudeerde mijn gezicht alsof mijn toon niet duidelijk was geweest. "Ja, ik heb wat opgezocht. Blijkbaar was er een probleem tussen hem en het British Museum. Iets over het verkopen van antiquiteiten."

Ik opende mijn mond maar Jake zei vlak: "Er waren geen bewijzen, maar hem werd gevraagd ontslag te nemen en dat deed hij. Zijn problemen op Berkeley hebben te maken met een discussie over salaris. Naar ik heb begrepen vond hij dat hij veel meer waard was dan wat hij betaald kreeg."

"Antiquiteiten verkopen!? En jij denkt dat dat geen verband houdt met elkaar?"

"Wat voor antiquiteiten zijn hier dan verkocht of gestolen?"

"Jake, de man werd verdacht van –"

Hij onderbrak me. "Schat, jij werd ooit van moord verdacht, weet je nog? Was je schuldig?"

"Nee, maar denk je niet dat het té toevallig is –"

"Denk je niet dat de sheriffs denken dat het toevallig is dat je nu bij een tweede moordzaak betrokken bent?"

Daar had ik geen antwoord op. Tenslotte zei ik: "Hoe zit het met Marquez?"

"Er is niets met Marquez. Hij heeft tien jaar geleden een keer een parkeerboete gehad." Jake zei, vriendelijker dan ik van hem gewend was: "Laten we naar huis gaan, Adrien. Mijn vakantie is bijna afgelopen en je zal de komende dagen niet leuk vinden."

Ik staarde naar hem: het matte, warrige haar, de leeuwenogen die onverwachts warm en geamuseerd konden zijn, de stevige lippen die zo naar Jake smaakten. Wat kon ik zeggen? Misschien was onze relatie niet duidelijk, maar hij had zijn vriendschap meerdere keren bewezen de afgelopen week. Hij was me komen redden zonder dat ik erom gevraagd had; hij had zijn vakantiedagen opgemaakt om ervoor te kunnen zorgen dat ik mezelf niet de das omdeed met detectivetje spelen; verdomme, hij had een kogel opgevangen die waarschijnlijk voor mij bedoeld was geweest. Homo of hetero, ik had nog nooit een betere vriend gehad. Nu vroeg hij me iets, waarschijnlijk net zoveel voor mijn veiligheid als voor de zijne. Ik luisterde naar het druppelen van het water uit de lekkende kraan in de gootsteen als waren het langzame tranen van spijt. Ik knikte.

Ik had echt de beste bedoelingen.

Ik was van plan meteen naar het kantoor van de makelaar te gaan en een nieuwe opzichter te regelen voor op de ranch.

Toen juffrouw Buttermit me aan zag komen maakte ze een fladderend gebaar – als een dorpeling die het boze oog afweert.

"Ik hoopte..." begon ik.

Juffrouw Buttermit wipte de sleutel van haar sleutelbos en overhandigde hem met samenzweerderige haast. Ik bedankte haar en ging weer terug naar de kelder.

Hoewel ik onder tijdsdruk stond, was ik er nu van overtuigd dat ik wist wat ik zocht. En na wat koortsachtig bladeren vond ik het. In 1857 was een postkoets, die onderweg was van Basking naar Sonora, beroofd door drie Mexicaanse bandieten. De postkoets had een opmerkelijke lading bij zich gehad: goud van de plaatselijke mijnen onderweg naar San Fransisco. Met een waarde die geschat werd op meer dan drie miljoen dollar. De overval vond plaats in Senex Valley, een paar minuten nadat de postkoets de stopplaats had verlaten. De twee bewakers met een jachtgeweer werden gedood, de bestuurder raakte gewond.

Ik krabde afwezig aan de wespensteek op mijn hand terwijl ik dit las, en toen ik naar het korstje keek, ging me opeens een licht op. Toegegeven, het was een idee dat ik waarschijnlijk al veel eerder had moeten krijgen. De eerste aanwijzing had al vanaf dag één voor mijn voeten gelegen.

Gehaast ging ik op zoek tussen de rekken. Ik stortte me op ieder boek, bestudeerde iedere bladzijde, maar ik kon niets meer vinden over de overval op de postkoets.

Met twee treden tegelijk rende ik de trap op en dreef juffrouw Buttermit in het nauw over de verdwenen kranten.

Juffrouw B leek het meest geschokt over de ontvreemde bibliotheekeigendommen, maar uiteindelijk slaagde ik erin haar zich te laten concentreren op mijn vraag.

"Jij!" antwoordde ze gepikeerd. "Jij en Kevin waren de laatsten die die kranten hebben onderzocht." Ze leek boos genoeg om mijn bibliotheekpasje per direct te blokkeren.

"Was er niet iemand anders? Iemand anders van het archeologenkamp?"

Miss Buttermit dacht na en schudde haar hoofd. "Dat was twee weken geleden. Het kan hém niet geweest zijn."

"Hem wie?"

"De professor. De Engelse professor."

"Professor Shoup?"

"Dat is hem," stemde juffrouw Buttermit in.

Ik nam juffrouw Buttermits advies ter harte, verliet de bibliotheek en stak over naar het Royale House. Een drang die bijna op paniek leek stuwde me voort.

Ik trof Melissa aan op de veranda terwijl ze de deuren op slot deed. GESLOTEN, stond er op het bordje achter het glas.

"Ik kan nu niet praten," zei ze, me voorbij stuivend op de trap. De uiteinden van haar zwarte haren streken langs mijn gezicht en ik moest denken aan het spookverhaal dat ze me had verteld over Royales eerste vrouw.

"Wacht even." Ik greep haar arm. "Zijn hier kopieën van *The Basking Gazette* gearchiveerd?"

Ze fronste. "Waarom?"

"Omdat ze bij de bibliotheek onvolledig zijn en ik moet iets opzoeken."

"Kan het niet wachten? Kevin is gearresteerd en de opgraving is stilgelegd. Heb je het nog niet gehoord?"

"Nee." Mijn vingers spanden zich om haar arm toen ze weg wilde lopen.

Ongeduldig zei ze: "De kogels die Harvey en Livingston hebben gedood kwamen uit Kevins geweer."

Jake had er al op gewezen dat dit zou gebeuren, maar het was nog steeds een schok.

"Ik geloof het niet," zei ik automatisch.

"Toch is het zo. Ze vonden bloedsporen en haren in Kevins achterbak. Ze denken dat hij de pick-up gebruikte om de lichamen te verplaatsen." Haar donkere ogen boorden zich in de mijne. "Maar je weet dit allemaal al."

"Oh ja?"

"Natuurlijk. Jij en je agentenvriendje hebben samengewerkt met de sheriff."

"Is dat zo?"

"Hou je niet van de domme." Ze glimlachte. Het was me nooit opgevallen wat een scherpe snijtanden ze had. "Als jullie niet op zoek waren naar het lijk van Harvey, wat deden jullie dan in de grotten boven het dal?"

Ze was een knappe vrouw, maar haar gezicht, dat naar mij gedraaid was, liet meer kracht en karakter zien dan schoonheid. Ik begreep haar niet, maar ik bewonderde haar wel.

"Ik denk dat je wel weet wat ik zocht," zei ik.

Een tel later werd haar donkere huid rood. "Ik weet niet waar je het over hebt."

"Ik heb het over spookgeluiden die 's nachts echoën in de grotten als alle brave archeologen behaaglijk in hun slaapzakken liggen te slapen. Ik heb het over Kuksu-stemmen die uit luidsprekers komen."

Ze viel helemaal stil, bewoog niet meer. Ze was vast een geweldige pokerspeler.

Ik zei: "Laat je me nog binnen in het museum of niet?"

Ze draaide zich op haar hakken om, marcheerde de trap weer op en deed de glazen deur van het slot.

"Heb je bewijzen?" vroeg ze met haar rug naar me toe.

"Ja, dat denk ik wel." Instinctief klopte ik op de zak van mijn spijkerjasje.

Toen we het museum binnen liepen zei ze: "Ik heb niemand vermoord."

"Maar je weet wel wie het gedaan heeft."

Toen keek ze me aan. "Nee, dat weet ik niet! Denk je dat ik ze dan O'Reilly zou laten arresteren?"

"Eerlijk? Ik weet het niet."

"Nou, dat zou ik niet doen! Die vent is een lastpost, maar..."

"En de sabotage dan? Wil je zeggen dat je niet hebt geprobeerd de opgravingen te laten stilleggen?"

"Niemand is daarbij gewond geraakt!!" Ze riep het zo luid dat ik verwachtte dat het portret van de reusachtige Abraham Royale met zijn ogen zou knipperen.

"En de hond dan?" Ik begon me als Sherlock Holmes te voelen in "Silver Blaze", altijd maar terugkomend op het merkwaardige incident met de hond.

"Wat is er met die verdomde hond? Coyotes kregen hem te pakken." Toch was er iets in haar blik dat niet helemaal klopte.

Ik dacht: Ze gelooft echt in de legende van de Bewakers.

Iets kalmer zei ze: "Ik verwacht niet dat je het begrijpt."

"Probeer het eens."

Ze zweeg. Een geboren martelaar die zich verheugt op de eerste brandende fakkel.

Ik zei: "Je nam de sjamanentaken van je grootvader over, nietwaar? Je hebt verschillende keren gezegd dat je gelooft dat het dal heilig is."

"Ach –! Het léven is heilig," diende Melissa me van repliek. "Ik wilde de schennis van heilige grond een halt toeroepen, maar ik wilde daarvoor niet iemand vermoorden."

"Heb jij een slang in mijn brievenbus gestopt?"

"Heb ik wat?" Haar mond viel open. "Hou je me voor de gek?"

Ik was geneigd haar te geloven – of in ieder geval haar gezichtsuitdrukking.

"Kan ik de archieven van de krant zien?"

Melissa keek op haar horloge. Ik keek op het mijne. Ik had Jake beloofd binnen een uur terug te zijn en er waren al drie kwartier voorbij.

"Ik heb hier geen tijd voor. De Studentenvakbond heeft me gevraagd een advocaat te regelen voor O'Reilly," zei ze. "Ik heb een hoop te doen en ik moet mensen contacteren."

"Als we kunnen bewijzen wie Livingston en Harvey echt vermoord heeft, zal een advocaat niet nodig zijn."

Ze dacht besluiteloos na en draaide zich toen om, met een zwaai van haar zwarte haren, en ging de trap af naar beneden.

De kelder van Royale House was koel en droog. Melissa stak een lantaarn aan en de geur van petroleum vermengde zich met de geur van gedroogde appels en zaagsel.

"Waar zijn we naar op zoek?" wilde ze weten, een overvolle kartonnen doos tevoorschijn trekkend. Ik hielp haar.

"Ik denk 1857. Ik las iets over een vuurgevecht tussen Mexicaanse bandieten. Royales partner Barnabas Salt werd daarbij gedood."

"Dat weet ik," zei Melissa. "Dezelfde *banditos* hadden de postkoets een paar weken daarvoor al overvallen. Ze gingen ervandoor met stofgoud en onbewerkt goud met een waarde van een paar miljoen dollar."

"Iedereen in het gebied moet op ze gejaagd hebben."

"Yep, maar Salt en Royale vonden ze in Senex Valley waar ze zich schuilhielden."

"En in het daaropvolgende gevecht werden de bandieten en Salt gedood."

"Daaropvolgende gevecht," spotte ze. "Ik zou uren naar je kunnen luisteren. Schrijf je net zoals je praat?"

"Wil je even bij de zaak blijven?"

"In het 'daaropvolgende' gevecht," vertelde Melissa me, "werden alle drie de bandieten aan gort geschoten, samen met die goede oude Barnabas Salt."

"En werd het goud teruggevonden?"

Er was nu niets meer van haar gezicht af te lezen.

"Joehoe," drong ik aan. "De onrechtmatig verkregen goederen: wat gebeurde daarmee?"

Ze kwam abrupt weer tot leven. "Laat die doos maar." Ze verdween in een stoffige nis en kwam weer tevoorschijn met een andere doos. De wrijving over de stenen vloer scheurde de aangetaste doos kapot. De kranten gleden alle kanten op. "Verdomme! Probeer deze eens. Deze gaan over de periode waarin we geïnteresseerd zijn."

Evelyn Wood had zich niet sneller een weg kunnen lezen door die broze vergeelde bladzijden. De petroleumlamp wierp flakkerende schaduwen op de muur als Indiaanse beschermgeesten. Vanuit mijn ooghoeken hield ik ze in de gaten.

"Probeer voorzichtig te zijn, wil je? Deze hebben historische waarde."

"Ik bén voorzichtig." Ik wees veelzeggend naar haar hand toen ze per ongeluk een stukje papier afscheurde. Het was weer net als vroeger. "Misschien moeten we hulp halen."

"Geen tijd. Hij weet hoe dichtbij we zijn. Hij kan er ieder moment vandoor gaan."

Hij. We wisten allebei achter wie we aan zaten maar geen van ons had het met zoveel woorden gezegd.

"Zonder het goud?"

"Misschien heeft hij het goud al gevonden."

Misschien. Misschien niet. Wat was dat toch met goud dat mensen er hun huis en hun gezin voor achterlieten, alles riskeerden – een moord pleegden – zelfs alleen voor de belofte van goud? Goudkoorts, noemden ze het vroeger. In de negentiende eeuw was het een epidemie geweest; zo nu en dan was er weer een nieuwe uitbraak.

"Wat gebeurt er als we niets kunnen vinden?" vroeg Melissa na een lange stilte.

"Ik weet het niet. Zelfs als we het goede artikel vinden is dat nog geen bewijs. We moeten die informatie gebruiken om hem te confronteren."

"Denk je dat hij instort omdat we hem een oude krant onder zijn neus duwen? We moeten echt met meer komen."

Ik had naar haar moeten luisteren, maar mijn aandacht werd getrokken door het artikel dat voor me lag. BANDIETEN OMGEKOMEN TIJDENS SCHIETPARTIJ luidde de kop. In het vervaagde ouderwetse lettertype las ik hoe Abraham Royale en Barnabas Salt werden aangevallen door drie beruchte Mexicaanse schurken die nog geen paar dagen eerder de Sonora-postkoets hadden overvallen. Bij de daaropvolgende (weer dat woord) schietpartij waren alle drie de ploerten gedood, waarmee de eerlijke belastingbetalers de moeite werd bespaard om Juan Martinez, Eduardo Marquez en Luis Quintana op te hangen.

Tragisch genoeg kwam ook Barnabas Salt, al lange tijd Royales partner in de Red Rover-mijn, om het leven. De zoektocht naar de gestolen buit ging door.

Ik liet de krant zakken. Een mot vloog telkens weer tegen de lamp, een zacht wanhopig getik, terwijl hij probeerde zichzelf te verkolen. Melissa staarde me aan en rukte toen de krant uit mijn handen.

Terwijl ze las, dacht ik erover na. De bandieten hadden hun buit vestopt in een verlaten mijn, maar de voormalige eigenaars daarvan, die vlakbij werkten, hadden ze gezien of waren om een of andere reden achterdochtig geworden. Er ontstond een gevecht en iedereen kwam om het leven, op één man na. Eén man die ervoor koos het zuurverdiende goud van zijn buren en vrienden voor hemzelf te houden.

"Wat moeten we doen?" vroeg Melissa toen ze klaar was met lezen.

"Ik denk dat het tijd is om de politie te bellen."

"De politie!" Ze keek verontwaardigd. "Je zei zelf dat dit geen bewijs is. Het laatste wat we nodig hebben is dat die klunzen hierin gaan rondstampen!"

"Melissa, dit is genoeg om ze een beginnetje te geven. Hieruit blijkt dat iemand anders dan Kevin schuldig is."

"We hebben de politie hier niet bij nodig!"

Overgespannen snauwde ik: "Waarbij? Wat had je in gedachten? Een burgerarrestatie? Hij heeft tot nu toe twee mensen vermoord."

"Je maatje Riordan –"

"Betrek Jake hier niet bij."

Ze liet haar hoofd hangen, haar haren vielen als een sluier over haar gezicht. Uiteindelijk mompelde ze: "Oké, jij wint. Ik zal boven de politie bellen." Ze stond op, draaide zich om, rende naar de traphal en schoot de trap op als een kat in nood.

Meteen daarna sloeg de kelderdeur met een klap dicht.

Een fractie van een seconde later drong het tot me door wat het geluid van een slaande deur betekende – en het geluid dat daarop volgde: een sleutel die omgedraaid werd in het slot.

Ik racete in haar kielzog de trap op naar boven en riep met al mijn kracht Melissa's naam. Toen ik de bovenste tree had bereikt riep ze door het hout heen: "Wees gewoon dankbaar dat het geen fruitkelder is!"

"Open die deur godverdomme!" Ik sloeg met mijn vuist tegen de deur. Massief eiken; het was of ik tegen steen aan sloeg. Zo kwam ik er niet uit, niet zonder het Romeinse leger achter me. "Melissa, doe niet zo stom. Melissa!" Ik ratelde aan de deurknop.

Het geluid van haar voetstappen stierf weg.

Ik rende weer langs de trap naar beneden, die daverde onder de kracht van mijn stappen. Snel om me heen kijkend, zag ik niet meteen een ontsnappingsroute. Er was geen andere deur. Er waren een paar rechthoekige raampjes, ongeveer drie meter hoog, waarschijnlijk op straatniveau.

Op zoek naar iets om op te staan zag ik in het weifelende licht van de lantaarn een hutkoffer. Na wat schuiven en trekken kreeg ik de koffer onder één van de ramen. Ik sprong erbovenop en merkte dat ik nog een halve meter te kort kwam.

Ik sprong eraf, zocht in alle hoeken, waarbij ik spinnen in hun web stoorde, en vond een melkkrat. Dat zette ik op de koffer en energiek klom ik er weer op. Het krat wiebelde enorm op het gebogen deksel van de hutkoffer. Hurkend, als een surfer, kwam ik langzaam overeind en liet mijn hand rusten op de vensterbank.

Met mijn vuist veegde ik een stukje schoon en staarde door het vieze raam. Ik kon de straat zien, badend in het zonlicht, en autobanden die voorbij zoefden. Ik prutste aan de verroeste klink.

Het had geen zin. Het rotding leek wel dichtgelast.

Ik was boos genoeg om het raam kapot te slaan, maar zo stom was ik niet. Ik had iets anders nodig dan mijn vuist om het glas te breken. Een moker zou ideaal zijn, maar dat was vast te veel gevraagd. In welke kelder lag er nou geen handige koevoet of zelfs maar een bezem?

Ik was net aan het overwegen mijn hemd uit te trekken en om mijn hand te wikkelen toen er een gezicht opdoemde voor het raampje, één oog voor het schone cirkeltje in het glas.

Bijna viel ik van mijn krat. Toen ik mezelf hersteld had en weer keek, was het gezicht verdwenen.

“Hé!” riep ik. “Help!”

Ik sprong omlaag, knoopte mijn hemd open, wond het om mijn hand en klom weer omhoog. Het krat zwaaide en ik wankelde heen en weer als Gidget Goes Berserk. Ik probeerde mijn evenwicht terug te vinden, greep naar de vensterbank en maakte voorzichtig een schijnbeweging naar het glas. Bij de tweede poging verbrijzelde het glas. De meeste scherven vlogen over de straat, de rest belandde op mijn gezicht en schouders. Ik schudde mijn hoofd, knipperde voorzichtig met mijn ogen. Ik veegde het glas uit het kozijn, steunde met mijn beide handen op de vensterbank en trok mezelf op.

In films ziet het er makkelijk uit, maar in het echt is het niet zo eenvoudig om jezelf op te trekken en door een vierkant raampje te wurmen. Het kostte een hoop gekronkel en gewriemel – om over het vloeken maar niet te spreken – voor het me lukte door het raam te schuiven en naar buiten te kruipen.

"Je bent een schande en zal ter dood gebracht worden, je hoofd zal bloeden," schreeuwde dominee John Howdy in mijn bezwete gezicht.

Ik keek naar hem op.

"Hoe dat zo?" snoof ik tenslotte.

Hij stak van wal om het me uit te leggen.

Terwijl ik de schade opnam, luisterde ik met een half oor. Ik besloot dat al mijn lichaamsdelen het nog deden. Ik ging rechtop zitten en veegde het glas en spinrag van me af.

"Jij – jij!" sputterde hij.

Ik dook weg voor de vurige adem van de kleine man die zich over me heen boog.

"Inbreken! Jij smerig duivelsgebroed!" gilde hij. "Ik bel de politie!"

"Uitbreken, zal je bedoelen," diende ik hem van repliek, en kwam overeind. "En de politie bellen is een goed idee. Stuur ze naar de Pine Shadow-ranch."

Terwijl ik de straat uit strompelde, kon ik hem horen roepen om de sterke arm der wet.

Op de ranch was Jake nergens te bekennen.

Zijn auto zat volgestouwd met zijn spullen; mijn koffers waren gepakt en stonden binnen bij de deur. Hij was dus bloedserieus over ons vertrek volgens schema. De mobilisatie was begonnen.

Over de meubels lagen weer stofhoezen, de luiken waren gesloten en vastgemaakt, de thermostaat stond uit, de koelkast was leeg.

"Jake!" riep ik, door de stille kamers lopend.

Er kwam geen antwoord. Het voelde niet goed.

"Jake?"

Toen ik naar buiten liep, de veranda op, schrok ik op van twee schoten in de verte.

Het hadden jagers kunnen zijn, maar ik wist dat dat niet zo was, en ik kon de ijzige rilling die zich door mijn hart verspreidde niet goed beschrijven.

"Hij is niet dood," zei ik hardop.

Niets sprak me tegen. De koebel bij wijze van windcarillon rammelde in de wind.

Ik draaide me om en ging naar binnen om de sheriffs te bellen. Ik denk dat ik niet goed hoorde wat de persoon aan de andere kant van de lijn zei. Waarschijnlijk werd er gezegd dat ik moest blijven waar ik was, maar meteen nadat ik ophing, beklom ik de heuvel achter het huis, rende door het verschroeide marihuanaveld, stoof tussen de bomen door, en schoof en gleed over de dennennaalden de bergrug af naar het kamp in Spaniard's Hollow.

Of beter gezegd, naar waar het kamp was geweest. Er had een massale uittocht plaatsgevonden, alsof ze hadden gedacht dat er reusachtige buitenaardse mieren zouden verschijnen. Ik snuffelde rond op de toegetakelde grond. Grote gele vierkanten gaven aan waar de tenten hadden gestaan, maar nu waren ze verdwenen, evenals de generatoren. De enige auto's die nog naast het bergmeertje geparkeerd stonden waren Melissa's witte pick-up, een Landrover en een andere auto. Ik concludeerde dat de Landrover waarschijnlijk van Shoup was, aangezien hij er op zijn rug naast lag.

"Dat is de man," had juffrouw Buttermit gezegd. Ik dacht toen dat Shoup er ook bij betrokken was, maar nu begon ik te twijfelen.

Ik knielde naast zijn lichaam neer. Legde mijn vingers in zijn hals om een hartslag te voelen.

Zelfs dood had hij een hooghartige uitdrukking op zijn gezicht, die contrasteerde met de wond in zijn borst.

Ofwel raak je gehard tegen het zien van een gewelddadige dood, ofwel maakte ik me te veel zorgen om Jake om iets voor een ander te kunnen voelen.

Shoup was ijskoud. De schoten die ik gehoord had waren dus

niet degene die hem gedood hadden. Toen ik weer rechtop stond, keek ik op naar de zon die in het meer schitterde en mijn ogen verblindde.

Waarom zou Jake hierheen komen? We zouden maken dat we wegkwamen; waarom wilde hij teruggaan naar het kamp? Het was zo typisch voor dat rund om zijn hachje te gaan wagen, denkend dat hij alle antwoorden had terwijl hij maar de helft van het verhaal kende…

Na een paar wanhopige ogenblikken drong het tot me door waar ze heen gegaan moesten zijn. Nu moest ik weer een beslissing nemen. Ik kon op de sheriffs wachten; ik kon ze volgen langs het pad van de postkoets; of ik kon proberen eerder bij de Red Rover-mijn te zijn door de weg af te snijden via de bergrug. De verkeerde beslissing kon Jake zijn leven kosten.

Als hij niet al dood was.

Ik rende weer terug de berg op zonder aan mijn nek of hart te denken. Mijn schoenen slipten op de stenen en het droge gras. Mijn hart ging snel tekeer maar dat kwam voornamelijk door de adrenaline. Ach wat, als mijn hart het nu nog niet begeven had, ging het waarschijnlijk nog wel een tijdje mee. Het mocht het vooral niet begeven tot ik Jake ongedeerd terug had; dat was mijn deal met God.

Inmiddels had ik de meeste details wel uitgewerkt, zoals waarom Livingston, die volgens iedereen rechtdoorzee en eerlijk was, moest sterven toen hij ontdekte wat er gaande was op het terrein.

En mijn voormalige huisbewaarder, Harvey, die had waarschijnlijk een spelletje 'kijk eens wat er in mijn tuintje groeit' gespeeld, en hij moest gezien hebben dat Livingston werd neergeschoten. Aangezien hij een jongen was die overal kansen zag, had hij waarschijnlijk geprobeerd een deal te sluiten. Mijn idee was dat hij gedreigd had met chantage, waarschijnlijk schermend met het feit dat hij foto's als bewijs had. Dat zou verklaren waarom zijn caravan een paar keer was doorzocht. Ik vermoedde dat er helemaal geen bewijs wás, maar hoe dan ook, het chantageplan was mislukt. Livingstons lichaam was in de schuur gedumpt om Harvey schuldig te laten lijken en daarna was Harvey zelf vermoord en weggesleept om het te doen lijken alsof hij ervandoor was gegaan.

Tijdens mijn klim verkende ik de omgeving. Misschien had ik de tijd moeten nemen om één van mijn grootmoeders geweren te zoeken. Wat zou er gebeuren als ik ze inhaalde? Ik had geen pistool en ik had ook niet echt een plan; mijn krachtige persoonlijkheid zou ons niet ver brengen.

Ik stapte mis en viel op mijn knieën. Terwijl ik daar zo neergeknield zat, hijgend en zwetend, hoorde ik een geluid. Een kleine explosie die leek op… niezen.

Mijn hart lichtte op en flakkerde als een Romeinse kaars; ik zou die gekwelde bijholtes overal herkennen. Voorzichtig kroop ik een paar meter verder en gluurde door de struiken. En zowaar, een paar tellen later ving ik door de takken van de bomen die het pad onder mij overschaduwden een glimp op van drie hoofden; Jakes glanzende haar schitterde als de helm van een ridder.

Hij leefde.

Ik kroop zover mogelijk naar voren. Melissa liep rechts van Jake; Marquez volgde hen op de voet – hoewel niet té dichtbij. Hij hield een geweer op hun ruggen gericht. Ik wedde dat het een 30.06 was.

"Opschieten!" Zijn stem droeg ver in de stilte.

Ik benijdde hem niet; zelfs vanuit mijn schuilplaats was duidelijk aan hun lichaamstaal af te lezen dat Jake en Melissa de eerste de beste kans afwachtten om zich tegen hem te keren. Marquez wist het blijkbaar ook, als ik op zijn bleke gezicht af kon gaan.

Hoe was het Jake en Melissa in vredesnaam gelukt om allebei in Marquez' klauwen te vallen? Maar was dat niet typisch voor deze verdomde 'A'-types, die altijd alles het beste wisten, altijd dachten dat ze alles konden?

Op handen en voeten sloop ik verder. Ik moest vóór ze zien te komen. Dat was onze beste kans. Maar als ik op zou staan, zou Marquez me zien en waarschijnlijk beginnen te schieten. Hij was bang en wanhopig, dus ook onvoorspelbaar.

In de heldere berglucht leek zelfs het geluid van een knappende tak mijlenver hoorbaar te zijn. Ik zou terug kunnen gaan en wachten op de sheriffs. Dat was waarschijnlijk het verstandigst. Het was waarschijnlijk ook het veiligst – en het was zeker wat Jake zou willen dat ik deed. Maar ik wist ook dat het niet was wat Jake zou dóén als de rollen omgedraaid waren.

Ik duwde de takken aan de kant en luisterde gespannen.

Tot mijn opluchting hoorde ik Jakes stem. Hij klonk kalm, zelfs onderhoudend. "Dus je hebt het goud niet? Je denkt alleen dat je weet waar het is."

"Het is daar."

"Het is meer dan honderd jaar geleden, vriend. Er kan van alles mee gebeurd zijn."

"Als iemand anders het had gevonden, had het de kranten gehaald. Royales vrouw heeft het niet gevonden; ze stierf arm."

"Dat bedoel ik," zei Jake. Hij deed wat een agent moet doen: ze aan de praat houden; het leidt af en er wordt een band opgebouwd, of de slechterik dat nu wil of niet. "Als het goud daar was, had iemand het allang gevonden."

"Voordat mijn betovergrootvader vermoord werd door Royale en Salt, stuurde hij mijn grootmoeder een brief waarin hij schreef dat het goud verborgen was in de mijn."

Te weinig kennis is een gevaarlijk iets, hoorde ik professor Shoup weer zeggen, een paar dagen eerder. Hij had inderdaad gelijk.

"Royale kan het goud verplaatst hebben voor hij stierf," zei Melissa smalend. "Wat betekent dat je twee mensen voor niets vermoord hebt."

"Hou je kop en lopen!" Marquez klonk geërgerd. Het was duidelijk dat hij improviseerde. Wat was er misgegaan, vroeg ik me af?

De struiken werden dunner. Ik liet me als GI Joe op mijn buik vallen en kroop verder over de harde grond. Dat is nog zoiets dat er in de film makkelijker uitziet dan het is. In het echte leven gaat het jezelf voortslepen over de rotsachtige bodem zonder geluid te maken langzaam en pijnlijk. En hoe stil en voorzichtig ik ook was, ik was nog steeds bang dat ze het schuiven en glijden van stenen of het knappen van twijgen konden horen. Ik kon hun in ieder geval wel horen.

Maar al ging het langzaam, het lukte me om voor het trio op de weg beneden me te komen. Nog een paar meter en ik zou weer veilig rechtop kunnen staan. Op mijn ellebogen kruipen was pijnlijk, mijn heupen voelden bont en blauw.

Plotseling drong het tot me door waarom het zo pijnlijk was: ik had nog steeds Melissa's cassettespeler in mijn zak zitten.

Toen dit tot me doordrong voelde ik een sprankje hoop. Met vernieuwde kracht ploeterde ik verder, schurend over stenen, dennenappels en boomwortels.

De stemmen achter me vervaagden. Ik krabbelde overeind en rende zo hard ik kon de heuvelkant over en toen tussen de bomen door naar beneden.

Ik bereikte de goudmijn amper twee minuten voor ze verderop op het pad verschenen. Ik had net genoeg tijd om de cassettespeler in de V van een boomtak te duwen. Met trillende handen drukte ik op 'play' en draaide het volume open, biddend dat de recorder niet van zijn tak zou vallen.

Van dichtbij klonk het zingen zo duidelijk nep dat ik me niet kon voorstellen dat iemand erin was getrapt, maar toen ik wegliep, werd het geluid griezeliger. Geloofwaardiger.

Voetje voor voetje kroop ik langs de bergwand en verborg me achter een struik. Zwetend probeerde ik op adem te komen. Het duurde niet lang voor ik hun stemmen hoorde.

"Maar als Shoup met je samenwerkte, waarom vermoordde je hem dan?" zei Jake op redelijke toon.

Toen ze voorbij mijn schuilplaats liepen, kon ik zien hoe Jake de omgeving afspeurde, de bergrug, de weg, op zoek naar een kans. Een seconde lang leek zijn blik bij mij te blijven hangen, maar hij vertrok geen spier.

Op zijn voorhoofd zat een wond, maar verder was hij oké. Hij leefde en kon lopen en ik was van plan dat zo te houden. Ik zocht op de grond naar een dikke tak die lang en dik genoeg was om als slaghout te gebruiken.

"Omdat hij er uiteindelijk achter kwam dat ik... me had ontdaan van Dan – professor Livingston. En van die nietsnut, Harvey."

"Ontdaan? Je bedoelt gedood?"

Melissa zei: "Je bedoelt vermoord? Want dat is het. Koelbloedige moord, jij klootzak."

"Hou je kop!" schreeuwde Marquez.

"Ja, hou je kop," gromde Jake, "je kwetst hem."

Melissa stond opeens stil. "Hoor je dat?" Ongelovig draaide ze haar hoofd een slag. "Wat is dat?"

Dat werd tijd. Ik begon al te denken dat ze geen van drieën lang genoeg hun mond zouden houden om de spookachtige stemmen in de suizende middagwind te horen.

"Genoeg!" beet Marquez van zich af, zijn bleke gezicht glinsterde, met zijn bril leek het of hij insectenogen had in het zonlicht.

"Ik hoor het ook," zei Jake.

"Het is verdomme de wind!" Marquez porde Melissa met de loop van het geweer. Ze viel op haar knieën op de weg en sloeg haar handen voor haar gezicht. Jake draaide zich om naar Marquez.

Ik dacht dat Marquez ze daar ter plekke zou neerschieten en ik stond op.

Jake deed echter niets, hij zei alleen maar: "Luister. Hoor je ze? Sirenes."

En zowaar, in de verte waren de sirenes hoorbaar die weerkaatsten tegen de bergwan.

"Bullshit! Opschieten, ga naar binnen!" Volkomen van slag

probeerde Marquez Melissa op te laten staan met de loop van het geweer. Ze werkte niet mee en ik gaf haar geen ongelijk. Als hij ze in de mijn kreeg, zouden ze er nooit meer levend uit komen.

Terwijl hij Jake behoedzaam in het oog hield, porde hij tegen haar aan met het geweer. Plotseling schoot Melissa overeind, slingerend draaide ze zich om naar Marquez. Die hapte naar adem en zette een stap achteruit, het geweer trilde in zijn handen.

Tot mijn verbijstering ging ook Jake een stap achteruit voor haar.

Zijn lichaam blokkeerde mijn zicht op Melissa, maar ik kon het gezicht van Marquez zien en ik dacht: het is nu of nooit. Ik haalde diep adem en bulderde boven het zingen op het cassettebandje – en het gillen van de naderende sirenes – uit: "Politie! Laat je wapen vallen!"

Marquez zwaaide het geweer mijn kant op en Melissa en Jake besprongen hem allebei.

Hier werd het verwarrend. Het leek wel zo'n tekenfilmgevecht waarbij je alleen nog een gigantische stofwolk ziet en zo nu en dan een vuist of een voet. Jake probeerde het geweer te pakken te krijgen. Het ging een keer af in de lucht en een keer in de richting van het bos voor hij het Marquez afhandig kon maken. Die vloekte en beet zich verbeten vast in de strijd, maar Jake was groter en gewend om te vechten.

Al die tijd joelde Melissa als een krijger, zo weggelopen uit een cowboyfilm, klauwend en schoppend naar iedereen die ze kon raken.

Ik gleed verder de helling af en bedacht hoe ik kon helpen zonder in de weg te lopen of neergeschoten te worden. Toen ik Melissa's woeste gezicht zag, kreeg ik de schrik van mijn leven. Haar ogen gloeiden rood op alsof ze uit *The Exorcist* kwam.

Het gevecht duurde niet lang. Jake overmeesterde Marquez, gaf hem twee keer een dreun en Marquez ging neer. Jake leunde hijgend over hem heen.

"Sta op," beval hij. Hij keek me vluchtig aan. Heel even verzachte zijn grimmige gezicht. “Hey,” groette hij.

Het lukte me om te glimlachen, mijn aandacht enigszins afgeleid door Melissa’s demonische blik.

Marquez, met zijn bril aan één oor en een bloedneus, probeerde op zijn knieën te gaan zitten. Plotseling schoot hij naar voren en dook naar de ingang van de mijn.

“Halt!” riep Jake. Melissa gilde.

Marquez stopte niet. Jake schoot in het hout van de mijningang. Niet ontmoedigd kronkelde Marquez tussen de houten latten door die de ingang van de mijn half bedekten, en verdween naar binnen.

“Godverdomme!” vloekte Jake.

We spurtten naar de ingang.

Vanuit de mijn gilde Marquez hysterisch, een luide, bloedstollende kreet, rechtstreeks afkomstig uit een verhaal van Edgar Allen Poe. Het gegil stierf weg en hield toen abrupt op.

De stilte die volgde was erger dan die wegstervende kreet.

Jake en ik staarden elkaar aan en toen begon hij tussen de planken door te klimmen.

“Nee, wacht!” riep Melissa. We grepen hem allebei vast.

“De trappen zijn weg!” schreeuwde ik, mijn armen om hem heen slaand.

“Hij is in de mijnschacht gevallen!” zei Melissa. Haar gezicht lijkbleek, haar ogen – gloeiden nog steeds. Ik keek snel weg.

Jake keek ons aan alsof we in tongen spraken, en toen, tot mijn opperste verbazing, trok hij me bruut naar zich toe in een ruwe omhelzing, en benam me de adem.

“Ik ben je wat schuldig, schatje,” mompelde hij in mijn oor. Ik voelde zijn hart tegen het mijne slaan. Het was het mooiste geluid ter wereld en ik sloot mijn ogen terwijl ik luisterde en dacht: ik hou van je.

Oud nieuws eigenlijk. Ik denk dat ik het al wist toen ik LA verliet. Ik denk dat het de reden was waarom ik LA verliet, omdat er geen toekomst in zat. Niet echt. De dingen die ik van het leven verwachtte – en van Jake – kon hij me niet geven. Maar op dat moment deed het er niet toe.

Ik hoorde nauwelijks het gebrabbel van Melissa: "Hij moet vergeten zijn dat de trappen weggerot waren. Ik weet zeker dat we hem dat verteld hebben. Kevin en ik kwamen erachter toen we hier waren. Alleen de twee bovenste sporten waren er nog. Ik weet zeker dat we hem dat verteld hebben. Hij was het vergeten. Hij moet het vergeten zijn."

"Misschien wist hij het wel," zei ik tegen haar.

Jakes armen sloten zich strakker om me heen alsof hij voor zich zag hoe hij achter Marquez aan naar beneden viel. "Arme drommel," mompelde hij tegen mijn oor.

Ik knikte en werd misselijk bij de gedachte hoeveel verschil het zou hebben gemaakt als ik een paar minuten later was gearriveerd. Als ik er langer over had gedaan om uit de kelder te komen, als ik thuis had gewacht op de sheriffs, als ik de tijd had genomen om over de heuvel te rennen – dan hadden de verhakkelde lichamen van Jake en Melissa nu op de bodem van die mijnschacht gelegen. Erger nog, we zouden waarschijnlijk hun lichamen nooit gevonden hebben, hadden waarschijnlijk nooit geweten wat er met ze gebeurd was.

Wat een mooie legende zou dat geworden zijn.

"Niemand overleeft zo'n val," zei Melissa, maar niemand luisterde echt naar haar. "Hij is dood. Dat moet wel. Misschien was dat ook wel zijn plan. Misschien…"

De sirenes waren nu dichtbij, jammerend als bosgeesten tussen de bomen. Toen de eerste auto op de weg arriveerde, liet Jake me los en deed een stap achteruit. Met een ongemakkelijk gebaar masseerde hij zijn nek.

"Hij moet dood zijn," herhaalde Melissa. "Denk je ook niet?"

"Ja," zei ik.

Verbaasd stelde ik vast dat de schaduwen langer werden. Alweer een dag voorbij in het Paradijs. Ik keek op naar de bewolkte hemel. Er hing regen in de lucht. Sterker nog, het voelde koud genoeg voor sneeuw. Ik wreef hard over mijn neus.

"Wat is er gebeurd?" vroeg ik aan Jake. "Waarom kwam je in vredesnaam terug hierheen?" Ik zweeg toen ik zag dat hij rood werd.

"Ik had een voorgevoel," zei hij. "Je gaf vanmorgen te makkelijk toe. Ik ken je – nou ja, dat dacht ik. Ik begon te denken dat je hierheen zou komen en iets... stoms zou doen."

"Stoms?"

"Zoals in de boeken. Je weet wel, alle verdachten bij elkaar in de salon verzamelen en dan proberen de moordenaar zover te krijgen dat hij bekent."

"Dus deed jij maar iets stoms in mijn plaats?"

De open plek stond opeens vol met politieauto's en uniformen. Het geluid van stemmen en dichtslaande autodeuren weerklonk in de late middag.

Jake zei: "Ik... eh..." Hij schraapte zijn keel. "Ik was gewoon op de verkeerde plaats op het verkeerde moment. Shoup confronteerde Marquez. Hij zwaaide met een oude krant voor zijn gezicht. Toen legde Marquez Shoup om. Op dat moment dook zíj op." Hij keek naar Melissa, keek nog eens naar haar vlammende rode ogen en stopte toen met wat hij wilde zeggen om uit te roepen: "En dame, wat is er met jou aan de hand?"

Melissa keek ons leeg aan. Toen lachte ze zwakjes en haalde de nepoogballen eruit.

"Nou, het was echt. En het was leuk," zei Jake.

Ik lachte halfslachtig.

We stonden naast onze volgestouwde auto's. Het was bijna donker.

Het lichaam van Marquez was een paar uur eerder uit de mijn gehaald. Er was geen spoor van het verdwenen goud, als het er al ooit geweest was. Melissa, Jake en ik hadden een verklaring afgelegd bij de sheriffs; Melissa had ons haastig gedag gezegd en ging er toen snel vandoor om ervoor te zorgen dan Kevin vrij kwam. Jake en ik beloofden beschikbaar te blijven voor het pathologisch onderzoek en verdere ondervraging.

Het was een lange dag geweest en we hadden kunnen wachten met vertrekken tot de volgende ochtend, maar Jake wilde graag terug.

Ik voelde zijn blik op me rusten, maar toen ik zijn kant op keek, stond hij te staren naar het grote stille huis. De ramen waren geblindeerd. De koebel annex windklok hing bewegingloos in de stille, koude lucht. Aan de andere kant van het lege erf kermde de windmolen zijn fantoompijn.

Het zag er al verlaten uit, alsof we er nooit waren geweest, alsof er al jaren niemand meer woonde.

"Misschien komen we nog eens terug," zei hij tot mijn verbazing.

Hij keek me aan en haalde zijn schouders op. Toen gooide hij zijn sleutels in de lucht, ving ze weer op en liep naar zijn auto. Over zijn schouder riep hij: "Volg jij mij of volg ik jou?"

Ik opende mijn mond – en bedacht me toen. Toegeeflijk zei ik: "Weet je zeker dat je de weg weet?"

Hij bleef staan. Draaide zich om. "Hé," zei hij, "ik heb jou toch gevonden, niet?"

een met jou

johanna pas

OMS GAAN BOMEN STAANDE DOOD

't Verschil

André Sollie

Tjongejonge

cadans

micha meinderts

Dubbel leven

Oog in oog

Micha Meinderts

VeRo BEAUPREZ

POTTENKIJKEN

VeRo BEAUPREZ

ÉÉN POT NAT

Leen Van Hulst

Melk & sneeuw

Ook verkrijgbaar als e-boek bij Merc Books

in de Adrien English-serie van Josh Lanyon:
Fatale schaduwen
Een gevaarlijk iets

Jan Vander Laenen:
De huisknecht en
andere scabreuze vertellingen

Håkan Lindquist:
Mijn broer en zijn broer